LA VIE COMPLIQUÉE
DE *Léa Olivier*

10.
LÉOPARD
POTELÉ

CATHERINE GIRARD-AUDET

Québec

Crédit d'impôt   Gestion
livres   SODEC

Gouvernement du Québec – Programme de crédit d'impôt
pour l'édition de livres – Gestion Sodec

Nous reconnaissons l'aide financière du gouvernement du Canada par l'entremise du
Fonds du livre du Canada pour nos activités d'édition.

La vie compliquée de Léa Olivier, 10. Léopard potelé
© Les éditions les Malins inc., Catherine Girard-Audet
info@lesmalins.ca

Directrice littéraire : Ingrid Remazeilles
Éditeur : Marc-André Audet
Illustration et conception de la couverture : Veronic Ly
Photographie de Catherine : Karine Patry
Mise en page : Diane Marquette

Dépôt légal — Bibliothèque et Archives nationales du Québec, 2017
Dépôt légal — Bibliothèque et Archives Canada, 2017

ISBN : 978-2-89657-568-8

Imprimé au Canada

Les éditions les Malins inc.
Montréal (Québec)

Financé par le gouvernement du Canada | Canadä

ASSOCIATION
NATIONALE
DES ÉDITEURS
DE LIVRES

LA VIE COMPLIQUÉE DE Léa Olivier

10.
LÉOPARD
POTELÉ

CATHERINE GIRARD-AUDET

À mes amies qui m'ont convaincue
de faire partie du comité du défilé de mode
(à titre d'animatrice de foule) en secondaire 5
et qui m'ont sortie de ma zone de confort.

Chapitre 1 :
Embargo et ours polaire

À : Marilou33@mail.com
De : Léa_jaime@mail.com
Date : Lundi 4 janvier, 13 h 49
Objet : Léa contre l'hibernation

Salut, Lou !

Sérieux, une chance que l'école nous donne une dernière journée pédagogique aujourd'hui, parce que je ne sais pas si j'aurais été capable de sortir de mon lit à sept heures et affronter le -1000 qu'il fait dehors. Je sais que mes résolutions me poussent à être plus positive et entreprenante, mais il y a des limites à ma métamorphose !

Ça, c'est sans compter que je dois me préparer psychologiquement à revoir Alex. Comme c'est sa fête demain, je me suis dit que c'était l'occasion idéale pour essayer d'enterrer la hache de guerre (ou dans mon cas l'épine qui me transperce le cœur depuis l'Halloween) et repartir du bon pied en tant qu'amis.

Le hic, c'est que même si ma thérapie intensive des fêtes m'a permis de faire du cheminement, j'appréhende un peu l'agitation de mon rythme cardiaque quand je vais le croiser dans le corridor. C'est une chose d'imposer un embargo à ma tête, mais c'en est une autre d'empêcher mon cœur de s'emballer quand je le vois, ou de se resserrer quand il se bidonne avec sa *best* Bibi.

9

Mais bon, dans mes moments de doute, je me répète mentalement les commandements que tu m'as dictés avant ton départ, et ça m'aide.

— Je mérite mieux qu'un gars qui ne sait pas ce qu'il veut.
— Je n'ai aucun contrôle sur Alex. La seule chose que je puisse contrôler, c'est mon destin.
— Il ne me reste que six mois de secondaire, et il faut que j'en profite au maximum.
— Comme je l'ai si bien dit aux douze coups de minuit, je ne laisserai plus un garçon dicter mes états d'âme et j'aurai du fun cette année. Vive les relations sans tracas !

Parlant de ça, je t'entends d'ici me crier de répondre à Robin des Bois, mais je ne sais pas trop. Je ne veux pas sentir que je le niaise, tu comprends ? Il aurait beau posséder toutes les qualités du monde, je ne me sens vraiment pas prête à m'attacher à quelqu'un d'autre en ce moment.

Et toi, quoi de neuf depuis hier ? Les retrouvailles avec JP se sont bien passées ? As-tu déjà eu des discussions sérieuses avec lui concernant votre avenir ? Appréhendes-tu le retour en classe demain ? Si oui, je te répète que tu n'as pas de souci à te faire. Je suis certaine que tout le monde a déjà oublié la vidéo de Sarah. Et sinon, je sais que tu seras capable de te défendre.

J'ai hâte d'avoir de tes nouvelles! Tu me manques déjà
beaucoup!

Léa xox

▢ 04-01 20 h 22
....

Léa?

▢ 04-01 20 h 23
....

Salut, Oli! Ça va?

▢ 04-01 20 h 23
....

Pas pire, mais j'aurais pris une autre semaine de vacances. Toi?

▢ 04-01 20 h 23
....

Moi aussi! Il paraît que vous vous êtes bien amusés au party d'Éloi.

▢ 04-01 20 h 24
....

Oui et non. C'est justement pour ça que je t'écrivais. As-tu parlé à Katherine? Elle ignore mes appels, et je voulais m'assurer qu'elle allait bien.

▢ 04-01 20 h 24
....

Brièvement au téléphone avant-hier, mais Jeanne m'a fait un résumé de la soirée et je sais que ça ne s'est pas super bien déroulé entre vous.

📱 **04-01 20 h 25**

C'est le moins qu'on puisse dire.

📱 **04-01 20 h 25**

Veux-tu m'en parler?

📱 **04-01 20 h 25**

Est-ce que ça te dérange? Je sais que tu es proche de Kath, et je ne voudrais surtout pas te mettre dans une situation délicate...

📱 **04-01 20 h 26**

C'est correct. Comme je vous aime tous les deux, je me forcerai à rester neutre comme la Suisse, mais rien ne t'empêche de te confier à moi.

📱 **04-01 20 h 26**

Je vois que tu as bien écouté dans les cours d'histoire. 😉

📱 **04-01 20 h 26**

Ha! Ha! Donc si je comprends bien, tu ne lui as pas reparlé depuis jeudi soir?

📱 **04-01 20 h 27**

Non. Mais comme je t'ai dit, ce n'est pas faute d'avoir essayé.

📱 **04-01 20 h 27**

Je pense qu'elle a simplement besoin de décanter, Oli.

📱 **04-01 20 h 27**

Je comprends, mais est-ce que ça doit être aussi drastique ?

📱 **04-01 20 h 27**

Je ne peux pas parler pour elle, mais je pense juste qu'elle a été blessée et qu'elle cherche à se protéger.

📱 **04-01 20 h 28**

J'ai peut-être manqué de tact. Ça m'a juste rendu un peu fou de ressentir autant de pression…

📱 **04-01 20 h 28**

Je ne pense pas qu'il s'agisse juste de ça, Oli.

📱 **04-01 20 h 28**
....

Qu'est-ce que tu veux dire?

📱 **04-01 20 h 28**
....

Du fait que tu aies passé une partie de la soirée collé sur Marianne.

📱 **04-01 20 h 29**
....

Hein?????

📱 **04-01 20 h 29**
....

Come on, Oli. Tu sais que les rumeurs vont vite.

📱 **04-01 20 h 29**
....

Marianne s'est jetée sur moi. C'est différent.

📱 **04-01 20 h 29**
....

Pas aux yeux de Kath.

📱 **04-01 20 h 30**
....

Pff. C'est tellement compliqué, Léa.

📱 **04-01 20 h 30**
....

Quoi, ça?

📱 **04-01 20 h 30**
....

Moi et Katherine. Une relation, c'est censé être simple, non? Alors qu'avec elle, c'est complexe depuis le départ.

📱 **04-01 20 h 30**
....

À cause de nous?

📱 **04-01 20 h 30**
....

Oui et non. Je pense que j'ai aussi mes réticences parce que je sais qu'elle est une fille qui carbure à l'intensité, et que je ne sais pas si je suis le bon gars pour ça.

📱 **04-01 20 h 31**
....

Et tu ne crois pas que ça réglerait bien des malentendus de lui expliquer tout ça?

📱 **04-01 20 h 31**
....

Sûrement. Mais j'ai peur que ça ruine complètement notre amitié.

📱 04-01 20 h 31

Il se peut que ce soit tendu pendant un bout, mais le temps arrange souvent les choses.

📱 04-01 20 h 32

Tu as raison. C'est d'ailleurs notre cas !

📱 04-01 20 h 32

Je dirais même que la fin de notre relation nous a permis de devenir amis. C'est assez rare comme dénouement !

📱 04-01 20 h 32

C'est vrai que ce n'est pas donné à tout le monde d'être aussi cool.

📱 04-01 20 h 33

Et beaux.

📱 04-01 20 h 33

Et intelligents.

📱 04-01 20 h 33

Et propres.

📱 04-01 20 h 33

Et humbles!

📱 04-01 20 h 33

Ha! Ha!

📱 04-01 20 h 34

Bon, je vais te laisser. On me réclame l'ordi.

📱 04-01 20 h 34

C'est cool. Je vais en profiter pour aller prendre un long bain question de contrer le froid polaire qu'il fait dehors.

📱 04-01 20 h 34

OK! On se voit demain! xx

📱 04-01 20 h 34

Bonne nuit! xx

À : Léa_jaime@mail.com
De : Marilou33@mail.com
Date : Mardi 5 janvier, 17 h 59
Objet : Je retourne sous mes couvertures

Au secours, Léa ! Viens me chercher ! Je suis la petite (grosse) bosse qui se cache sous les couvertures de mon lit. Je pense hiberner là tout l'hiver, comme un ours polaire. Et tout le printemps. Jusqu'à la remise des diplômes. Il ne me reste qu'à convaincre mes parents de terminer mon secondaire à domicile.

Tu devineras à mon attitude d'ermite que mes appréhensions se sont confirmées et que plusieurs personnes me regardaient vraiment croche quand je suis entrée dans l'école ce matin. Un gars de secondaire 4 s'est même permis de me lancer un commentaire désobligeant en me croisant dans le corridor.

Gars : Ouin, j'en connais qui ont passé des vacances plus *excitantes* que d'autres !
Laurie (en me prenant par le bras) : Ta gueule, gros con !

J'ai baissé les yeux pour échapper aux regards curieux et amusés d'une gang de filles de secondaire 3. Elles ont deux ans de moins que moi, mais ça ne les empêche pas de me juger. C'est ça, l'effet Sarah Beaupré.

Laurie (en me prenant par les épaules pour me regarder droit dans les yeux) : Lou ! Ressaisis-toi ! Ce n'est pas ton genre de te laisser marcher sur les pieds, et encore moins par des plus jeunes que toi !

Moi (en soupirant) : Je sais. Et je croyais vraiment avoir retrouvé un semblant de dignité et d'assurance lors de mon séjour à Montréal, mais c'est comme si tous mes beaux efforts s'étaient envolés en fumée en pénétrant dans l'école. Je réalise la portée du geste de Sarah, et ça me fait capoter.

Laurie : Je persiste à dire que tu devrais te venger.

Moi : Ce n'est pas en mettant de l'huile sur le feu que ça va calmer ses ardeurs.

Laurie (en haussant le ton) : Mais on s'en fout de ses ardeurs ! Cette fille a littéralement gâché nos vies. Elle a couché avec mon chum et a révélé des trucs ultra-intimes à propos de toi. Il faut faire quelque chose !

Moi : Quoi ? La dénoncer ? On ne peut pas ; elle va au cégep, maintenant.

Laurie : Ça ne veut pas dire qu'il faut rester les bras croisés, Marilou ! Sors de ta torpeur, s'il te plaît.

Moi (en m'efforçant de me ressaisir) : Je vais faire mon possible.

Laurie : Je te laisse jusqu'à demain pour t'apitoyer sur ton sort. Après ça, j'exige que tu te secoues les puces et que tu m'aides à trouver un plan pour lui faire manger ses bas.

J'ai souri. J'étais contente de retrouver Laurie. C'est vraiment une amie qui m'est chère, surtout depuis que tu es aussi loin de moi.

Moi (en lui tendant la main) : *Deal.*

Nous avons poursuivi notre chemin jusqu'au cours de français, et nous avons croisé un garçon de secondaire 1 qui me regardait avec des yeux ronds.

Laurie (en le dévisageant) : Qu'est-ce que tu veux, toi ?
Garçon de secondaire 1 : Euh, rien.
Laurie : Alors pourquoi tu regardes mon amie comme ça ?
Garçon de secondaire 1 : Euh, pour rien.
Laurie : Non, vas-y ! Crache le morceau ! C'est à cause de Sarah, c'est ça ?
Garçon de secondaire 1 : Qui ?
Laurie : Ne fais pas l'innocent. Je sais très bien que tu as vu sa vidéo.
Garçon de secondaire 1 : Hein ? Quelle vidéo ?
Laurie : Ne va pas surtout croire tout ce que raconte cette harpie. Elle est juste frustrée parce que son chum l'a laissée.

Le garçon nous a regardées avec des yeux de truite arc-en-ciel.

Moi : Il n'a vraiment pas l'air de savoir de quoi tu parles, Laurie.

Laurie (en s'approchant du gars) : C'est ce qu'on va voir. C'est quoi ton nom, petit gars ?

Garçon de secondaire 1 : Euh, Matisse.

Laurie : Et dis-moi Matisse, connais-tu Sarah Beaupré ?

Matisse (apeuré) : Je te jure que non !

Laurie (d'un œil suspicieux) : Alors pourquoi tu observais mon amie comme ça ?

Matisse : Je...

Laurie (en le prenant par le collet) : PARLE !

Matisse (en devenant aussi écarlate qu'une betterave) : Parce que je la trouve belle !

Laurie a tout de suite lâché son emprise et le garçon a déguerpi à toute vitesse.

Laurie : Oups.

Moi : *Come on*, Laurie ! Je comprends que tu en veuilles à Sarah et j'apprécie vraiment que tu te portes à ma défense, mais ce n'est pas une raison pour intimider tous les élèves qui me regardent de travers. Surtout pas ceux qui n'ont rien à voir là-dedans !

Laurie (en haussant les épaules) : Ça lui aura au moins permis de t'avouer qu'il te trouve belle. Et ça, c'est bon pour ton estime.

J'ai souri et je l'ai suivie en classe.

Évidemment, ça tombait le jour où je devais présenter le sujet de mon projet de fin d'étape devant mon groupe. J'ai remis mon plan à la prof et je me suis installée près de son bureau. D'habitude, je ne suis pas nerveuse lors des exposés oraux, mais là, je me sentais comme toi à tes débuts à Montréal, quand tu devais parler en anglais devant les nunuches.

La prof : Marilou, on t'écoute.
Moi (en lissant ma feuille) : Euh, pour mon projet fœtal, euh... je veux dire final...

Éclats de rire dans la classe. Goutte de sueur sur mon front.

Moi : Je, euh, voulais vous parler de la fécondité, euh, je veux dire de la fatalité des... des...

J'avais un trou de mémoire. Je n'arrivais plus à me souvenir de quoi que ce soit, à part des images de la vidéo de Sarah.

La prof : Ça va, Marilou ? As-tu besoin de consulter tes notes ?
Moi : Euh, non, ça va aller.

J'ai pris une profonde inspiration avant de poursuivre.

Moi : Mon projet portera sur le lien entre les accidents de parcours...

Simon Shaw (en plissant les yeux) : Genre ceux qui surviennent quand on ne se protège pas ?

Hilarité générale. Je me sens fondre.

La prof : Simon, je t'en prie.

Simon : Quoi ? J'essaie juste de comprendre si son projet a un lien avec les premières expériences des adolescents. Après tout, Marilou a l'air de s'y connaître là-dedans.

Charlotte Voyer : Oh ! Ce serait cool, ça ! Ce serait comme un épisode de *16 ans et enceinte*, mais version Marilou Bernier.

Mon regard a croisé celui de Laurie, qui bouillait de l'intérieur, et celui de Steph, qui me regardait avec un air rempli de pitié. C'en était trop.

Moi (en déposant ma feuille) : Sérieux, on est où, là ? Dans un épisode de *Treize raisons* ? Ça fait cinq ans qu'on se côtoie, et c'est comme ça que vous réagissez quand une tyran du cégep s'attaque à l'une de vous ? Eille, c'est beau la solidarité !

Un ange a passé, puis la prof a toussoté.

La prof : Très bien, Marilou. Tu peux poursuivre.

Moi : Je croyais avoir trouvé un bon sujet de recherche, madame, mais j'ai changé d'idée. Je veux aborder le thème de la cyberintimidation et de l'effet que ça peut avoir sur les victimes.

La prof : Très bonne idée, Marilou. C'est aussi en lien avec le film de Yan England dont je vous ai parlé avant Noël...

Moi (en l'interrompant) : Et c'est surtout en lien avec tous ceux qui sont trop faibles pour défendre l'une des leurs devant un bourreau.

J'ai senti une boule se former dans ma gorge. Il fallait que je sorte de là avant d'éclater en sanglots.

Je me suis précipitée aux toilettes sous les applaudissements de Laurie et Steph. J'ai alors réalisé que mes mains tremblaient. Même si j'étais contente d'avoir tenu tête à ma classe, j'étais fâchée de réaliser à quel point Sarah avait réussi à m'atteindre. C'était facile de reprendre le dessus quand j'étais loin de chez moi, mais maintenant que je revenais au bercail, je réalisais que j'avais encore du chemin à faire.

J'ai regagné la classe au bout de quelques minutes et personne n'a osé dire quoi que ce soit. Lorsque le cours s'est terminé, la professeure a demandé à me parler.

Moi : Oui, madame ?

La prof : Je veux m'assurer que tout va bien. Et te dire que je suis là si tu veux parler.

Je l'ai dévisagée. Est-ce que la vidéo de Sarah s'était rendue jusqu'à la salle des profs et que tout le personnel de l'école était au courant de ma vie intime ?

La prof (en voulant détendre l'atmosphère) : C'est juste que j'ai senti que les autres élèves t'avaient blessée. Et avec le thème que tu as choisi, il est de mon devoir d'intervenir si tu as un incident à rapporter.

Moi : C'est gentil, madame, mais je suis correcte.

J'ai souri avant de rejoindre Laurie et Steph qui m'attendaient dans le couloir.

Laurie : Lou ! C'était génial de t'entendre remettre les petits morons à leur place. Là, je te reconnais.

Steph : Tu as bien fait d'intervenir. Tu leur en as bouché un coin.

J'ai acquiescé et je me suis laissé guider jusqu'au cours de sciences. Le reste de la journée s'est passé sans trop d'anicroches, mis à part des sourcils haussés et quelques chuchotements non subtils.

Après les cours, JP m'attendait près de mon casier.

JP (en me prenant dans ses bras) : Salut !
Moi (en rougissant et en regardant autour de moi) : Qu'est-ce que tu fais là ?
JP : Euh, je viens rejoindre ma blonde parce que j'ai congé aujourd'hui et que j'ai envie de passer du temps avec elle.
Moi : C'est gentil, mais ce n'est pas le meilleur *timing* au monde. Les gens vont parler.
JP (en haussant les épaules) : Pis, ça ? On s'en fout.

Des fois, j'aimerais ça être un gars.

Moi (en prenant mon manteau et ma tuque en vitesse et en le tirant par le bras) : Tu viens ? Je suis tannée d'être ici.
JP (en s'éloignant pour faire une accolade à Steve Bélanger et à ses amis) : Je reviens dans deux minutes.

Je l'ai observé de loin. Pourquoi est-ce que les gars de ma classe étaient si gentils et respectueux avec lui malgré la rumeur de Sarah ? Les insultes et les commentaires désobligeants étaient donc réservés aux filles ? La féministe en moi sentait la colère monter.

Charlotte Voyer, la même qui s'était permis de m'insulter devant la classe, s'est alors approchée comme un chien piteux.

Charlotte : Marilou ?

Moi (vraiment bête) : Quoi ?

Charlotte : Je voulais m'excuser pour tantôt. Ça n'avait vraiment pas de classe de rire de toi devant les autres.

Je l'ai défiée du regard. Elle avait l'air sincère. Et je savais que Charlotte avait un bon fond. Elle était simplement trop influençable.

Moi : Merci. C'est apprécié.

Elle s'est éloignée avant de faire volteface.

Charlotte : Est-ce que... je peux te poser une question indiscrète ?

Moi : Non.

Elle a baissé la tête comme un chihuahua qui se fait gronder.

Moi (en soupirant) : Qu'est-ce tu veux savoir ?

Charlotte : Ce qu'elle raconte, est-ce que c'est vrai ?

Comme je savais que Charlotte avait la plus grande gueule de l'école, je percevais sa question comme une occasion de faire taire la rumeur une fois pour toutes.

Moi : Penses-tu vraiment que si je vivais quelque chose du genre avec mon chum, j'en parlerais à ma pire ennemie ?

Charlotte : C'est sûr que non. Mais qu'est-ce que tu lui as fait pour qu'elle te déteste au point d'inventer une rumeur pareille ?

Bonne question.

Moi : Rien à part être loyale envers mes amis.

JP m'a alors rejointe et a mis fin à notre discussion.

JP (en m'ouvrant la porte de l'école) : Qu'est-ce qu'elle te voulait ?

Moi : Savoir des détails sur ma vie sexuelle.

JP a écarquillé les yeux.

JP : Tu me niaises ?

Moi : Non.

JP : J'avais oublié à quel point les gens étaient immatures au secondaire.

Sa remarque m'a piquée au vif.

Moi : C'est vrai que ta consœur du cégep est *tellement* plus mature !

JP : Je ne faisais pas référence à Sarah...

Moi (en l'interrompant) : Je suis contente de voir que ta sagesse et le fait que tu sois un gars te permettent d'être au-dessus de ce drame, mais sache que pendant ce temps-là, c'est moi, la fille, qui dois me taper les commentaires déplacés et les petits rires ingrats.

JP (en se rapprochant de moi) : Prends-le pas comme ça, Lou.

Moi : Comment veux-tu que je le prenne ?

JP : Avec plus de légèreté. Là, tu t'arranges pour que Sarah obtienne ce qu'elle veut : foutre le bordel dans notre couple et te causer des ennuis avec tout le monde.

J'ai soupiré. Je savais qu'il avait raison, mais je n'avais pas la force de balayer tout ça du revers de la main. Laurie m'avait donné un délai de vingt-quatre heures pour m'apitoyer sur mon sort, et je comptais bien l'utiliser.

Moi : Je sais. Je suis juste de mauvaise humeur. Ce doit être la déprime hivernale. Un genre de *blues* d'après-Noël mélangé au fait que j'ai passé l'une des pires journées de mon secondaire.

JP : Je suis désolé, Lou. Dis-moi ce que je peux faire pour t'aider.

Moi : Rien. J'ai juste besoin d'être seule. On se parle demain, OK ?

JP : *Come on*, Marilou ! On n'a pas passé une seule minute ensemble depuis que tu es rentrée de Montréal. C'est quoi, l'affaire ? Tu crois que je suis trop niaiseux pour t'écouter et te réconforter ?

Moi : Ce n'est pas ça, JP. J'ai simplement besoin de ma bulle pour analyser ce qui se passe.

JP : Chaque fois que tu vis quelque chose de difficile, tu me repousses. Ce n'est pas cool, ça. Je sers à quoi, moi ?

Moi (en essayant de faire une blague pour détendre l'atmosphère) : À être beau ?

Il a froncé les sourcils.

Moi : Je ne veux pas qu'on se chicane, JP. Et je suis désolée si tu te sens délaissé ou si tu me trouves distante, mais je t'assure que ça n'a rien à voir avec toi. C'est juste ma façon de gérer les crises.

JP : OK, mais j'aimerais ça que tu m'inclues, des fois.

Moi (en le serrant contre moi) : Je vais faire un effort. Je te le promets.

Il a répondu à mon étreinte avant de me raccompagner jusqu'à la maison de mon père.

JP : Tu m'appelles si tu capotes ?

Moi : Promis. Sinon, on se parle demain.

Je l'ai embrassé et je suis rentrée chez moi. J'ai alors été accueillie par Zak.

Zak : Lou, viens m'aider à battre le monstre dans mon jeu vidéo !

J'ai salué mon père au passage et je me suis abrutie devant la télé avec mon petit frère. Ce n'est qu'une fois enfermée dans ma chambre que j'ai senti que la boule dans mon ventre n'avait pas dit son dernier mot. J'ai pris une profonde inspiration et j'ai fermé les yeux pour essayer de calmer mon pouls.

Je réalise que le geste de Sarah me donne non seulement envie de me cacher dix pieds sous terre, mais qu'il me confronte aussi à ce qui s'est passé entre JP et moi. Au grand pas dans le monde adulte qu'on a franchi ensemble et qui m'angoisse encore autant. J'espère juste être capable de relativiser et prendre tout ça avec un grain de sel, comme seule la #NouvelleLou du jour de l'An sait le faire !

J'espère que ta première journée a été moins mouvementée que la mienne malgré l'anniversaire d'Alex, et que ton cœur n'a pas réagi en le voyant (#CestToutCeQuIlMérite).

Lou xox

À : Marilou33@mail.com
De : Léa_jaime@mail.com
Date : Jeudi 7 janvier, 21 h 49
Objet : On était tellement mieux en vacances

Pauvre Lou !

Je comprends tellement ce que tu vis. Après que Maude m'a humiliée par interphone il y a deux ans, j'avais aussi envie de me cacher dix pieds sous terre. Elle m'a fait vivre l'un des pires moments de ma vie, et je me souviens que dans les jours qui ont suivi, j'ai aussi dû me taper les commentaires désobligeants de gens de mon école. Mais ma meilleure amie m'a encouragée à garder la tête haute et à ne pas me laisser marcher sur les pieds. Et c'est comme ça que j'ai appris à coexister avec Maude. Je ne crois pas que la reine des nunuches se soit adoucie avec le temps ; je pense simplement qu'elle réalise que j'ai acquis de l'assurance et que je ne me laisserai plus écraser par elle.

Bref, je comprends ta torpeur et je sais que tu as envie de déménager à Tombouctou, mais je te donne le même conseil que tu m'as donné il y a deux ans : reste forte, Lou. Les Maude Ménard-Bérubé et Sarah Beaupré de ce monde ne méritent pas l'attention qu'on leur porte, et le mieux à faire est de leur tenir tête et de montrer aux autres qu'on ne se laissera pas intimider. D'ailleurs, je te félicite pour ton allusion à *Treize raisons* lors de ton exposé. Comme tu l'as vu avec Charlotte, ç'a permis aux gens de ta classe de prendre un peu de recul et de réaliser qu'ils agissaient comme des brutes.

De mon côté, tu seras heureuse d'apprendre que tes grands discours ont eu un effet positif et que mon retour en classe s'est effectué du bon pied, malgré ma nervosité.

En pénétrant dans l'école mardi, je ne savais pas trop comment aborder Alex. L'embrasser sur les joues pour lui souhaiter joyeux anniversaire en jouant la nonchalante ? Lui faire un petit salut de la main en gardant mes distances ? Faire semblant que j'avais oublié que c'était sa fête ? Je n'ai pas eu le temps de trouver la réponse parfaite, puisque je suis tombée nez à nez avec lui en me dirigeant vers les casiers. J'ai tout de suite vu sur son visage qu'il était content de me voir.

Alex : Eille ! Une revenante !
Moi : Salut, Alex ! Bonne fête !
Alex (en m'attirant vers lui et en me serrant très fort) : Merci. Bonne année, Rongeur !

Il sent si bon... NON ! Ne pense pas à ça. Pense à des poubelles qui puent.

Je me suis extirpée de son étreinte en grimaçant.

Moi : Toi aussi.

Alex : Pourquoi tu fais cette face-là ?

Moi : Quelle face ?

Alex : Comme si tu venais de croiser une moufette qui se baigne dans un bain de vomi. Est-ce que je sens mauvais ?

Moi (stupéfaite) : Hein ? Ben non ! C'est juste que... je pensais au gros pet sonore que Félix a fait ce matin dans la cuisine.

Alex : Tu penses aux malaises gastriques de ton frère en me voyant ? Eille, c'est flatteur, ça.

J'ai ri, ce qui a détendu l'atmosphère.

Alex : Et toi ? Tu t'es bien amusée le 31 ?

Moi : Ouais. Je suis sortie avec Marilou, mon frère et ses amis. C'était *vraiment* cool.

Alex (en haussant un sourcil) : Tant que ça ?

Moi : Mets-en

Alex : Pourquoi ?

Moi : Je ne sais pas. C'était rafraîchissant de fêter avec de nouvelles personnes.

Il m'a dévisagée.

Alex : Hum. Est-ce que ça sous-entend que tes vieux amis sont devenus plates ?

Moi (en souriant) : Ben non ! C'était juste le *fun* d'avoir l'air folle devant des gens qui ne me connaissaient pas.

Alex : En tout cas, tu m'as manqué.

Il a dit ça en me regardant droit dans les yeux. J'ai senti une boule se former dans mon ventre, puis dans ma gorge. Mon pouls s'est accéléré.

Eille, le cœur, calme-toi les nerfs !

Moi (un peu prise de court par son aveu) : Ah, ben, euh, j'ai pourtant cru comprendre que vous aviez eu pas mal de *fun* chez Éloi.

Alex (en fronçant les sourcils) : C'est Jeanne qui t'a dit ça ? Elle t'a raconté quoi, exactement ?

Qu'elle t'avait dit que tu étais trop abruti pour t'ouvrir les yeux et assumer qu'on était faits l'un pour l'autre.

Moi : Que vous aviez beaucoup ri ensemble.

Alex : Hum, ouais. C'était cool de se retrouver.

Moi (en m'efforçant de rester joviale et nonchalante) : Tant mieux. Et dis-moi, qu'est-ce que tu comptes faire pour célébrer que tu pourras bientôt sortir légalement dans les bars ?

Alex : Rien de spécial.

Moi : Ben là ! Il faut que tu célèbres ta fête !

Bianca (en surgissant de nulle part comme elle seule sait le faire) : Léa a raison, chéri. Et c'est pour ça qu'on sort vendredi !

Alex (surpris) : Ah ouais ? Où ça ?

Bianca (en souriant) : Dans un bar où on peut danser ! J'ai besoin de me défouler sur une piste de danse. Tu te joindras à nous, Léa ?

Moi : Euh, je ne crois pas, non.

Alex : Pourquoi pas ?

Moi : Parce ce que je n'ai encore que seize ans et que j'ai l'air d'en avoir douze.

Alex : Pff, pas question que tu *chokes*, Rongeur.

Moi (en souriant) : C'est gentil d'insister, mais je ne peux pas me permettre de braver l'autorité parentale en ce moment.

Bianca : Alors on n'a qu'à aller dans un endroit où ta *baby face* sera acceptée !

Son commentaire m'a évidemment irritée.

Moi (pince-sans-rire) : Je ne voudrais surtout pas limiter vos options de sortie.

Bianca : Mais non, voyons ! On va trouver une solution. Nous insistons pour que tu viennes.

Son usage du « nous » m'a fait vomir intérieurement.

Bianca : Je sais ! On pourrait aller jouer au billard à côté de chez nous.

Alex : Bonne idée ! J'adore le *pool* !

Bianca : *Great !* Je m'occupe du gâteau et des décorations.

Alex : Ce n'est pas nécessaire, Bibi.

Bianca (en se lovant contre lui) : Au contraire, chéri. Tu mérites d'être fêté en grand !

Elle lui a planté un baiser sur la joue, un peu trop près de la bouche à mon goût. J'ai détourné le regard. Mon cellulaire a vibré à ce moment-là, m'indiquant que j'avais reçu un message texte.

📱 05-01 8 h 11
· ·

C'est mon nom qui te rebute au point de m'ignorer ?

J'ai levé les yeux vers mon-meilleur-ami-qui-ne-l'était-plus-depuis-qu'il-m'avait-brisé-le-cœur et qui se bidonnait en faisant des chatouilles à Bianca, puis j'ai répondu à Robin sans réfléchir.

📱 05-01 8 h 12
· ·

Au contraire !

Est-ce que ça veut dire que tu veux toujours être mon agente ? Parce que si c'est le cas, il va falloir que je te revoie pour négocier mon contrat...

J'ai souri.

Alex (en me dévisageant d'un drôle d'air) : Qui t'écrit aussi tôt un mardi matin ?
Moi (du tac au tac) : Un ami.
Alex : Je le connais ?
J'ai cru déceler une pointe de jalousie dans sa voix.
Moi : Non.

Ben non, niaiseuse. C'est dans ta tête. Tu vois bien qu'il est encore scotché à sa Bibi. Il a beau le nier, c'est clair qu'il la trouve de son goût.

Moi : Bon. Je dois prendre mon manuel de maths si je ne veux pas être en retard. À plus !

Katherine et Jeanne m'ont alors rejointe à mon casier.

Katherine : Salut, Léa ! Comment ça s'est passé avec Alex ? On t'a vue lui parler de loin.

Moi (en haussant les épaules) : Correct. Je voulais juste lui souhaiter bonne fête. Et sa nouvelle-meilleure-amie-sangsue s'est évidemment empressée de se joindre à nous pour nous annoncer qu'elle organisait un party pour lui au billard près de chez nous vendredi soir.

Jeanne (pince-sans-rire) : Bravo ! Je vois que tu as finalement fait la paix avec leur relation ambiguë.

Moi (en soupirant) : Je te jure que j'essaie très fort. Je veux juste profiter des mois qu'il nous reste sans mélodrame. Vous croyez que ça se peut ?

Maude est alors passée devant nous.

Maude : Ça pue, ici.

Moi (entre mes dents) : Ça répond à ma question.

Maude (en saluant chaleureusement mes amies) : Jeanne ! Katherine ! Je vous cherchais justement. Marianne, Sophie, Lydia et moi, on se réunit après l'école pour aller magasiner des robes de bal. Ça vous tente de venir ?

Katherine : Déjà ?

Maude : Il n'est jamais trop tôt pour s'assurer d'avoir plus de style qu'une pomme grenade.

Elle a dit ça en me désignant du menton.

Moi : Merci, Maude. Ton compliment me va droit au cœur.

Maude : De rien, Maëlle. En passant, tu n'es pas invitée à te joindre à nous. Ta présence gâcherait le *mood*.

Jeanne : Maude !

Maude : Quoi ? C'est votre petite amie qui m'a suppliée d'être honnête avec elle. Je ne fais qu'obéir à ses demandes.

Jeanne (en roulant les yeux) : Merci pour l'invitation, mais je vais passer mon tour.

Katherine : Moi aussi. Je dois me joindre à Bibi pour travailler sur les chorégraphies du défilé de mode.

Maude (en me défiant du regard) : En tout cas, j'ai hâte de voir celle des maillots. C'est si rare de voir une poire vivante à l'œuvre. *Ciao !*

Jeanne : Si elle continue avec cette attitude, je vais avoir de la difficulté à tenir ma résolution et à laisser le passé derrière moi.

Moi (en haussant les épaules) : Elle n'a pas tout à fait tort. C'est vrai que j'ai l'air d'un fruit obèse dans mon superbe maillot une-pièce.

Katherine : Je suis sûre que tu exagères et que Maude va être verte de jalousie quand tu vas défiler devant elle.

Moi : Et moi, je te parie que si elle devient verte, c'est parce que mon look lui donnera envie de vomir.

Olivier s'est alors approché de nous. J'ai senti Katherine se raidir à mes côtés.

Oli : Salut, les filles. Kath, je peux te parler ?

Katherine (froidement) : Je n'ai pas le temps. J'ai un cours.

Oli : *Come on*. Ça va prendre deux minutes.

Katherine : Je n'ai pas besoin d'entendre que ça n'ira nulle part entre nous, Oli. J'ai des yeux pour voir, et j'ai très bien compris le message jeudi dernier.

Il a poussé un long soupir.

Oli : Est-ce qu'on peut s'expliquer, au moins ?

Katherine : Ce ne sera pas nécessaire.

Elle a pris chacune de nous deux par un bras et elle a tourné les talons afin de nous entraîner aux toilettes.

Moi (en m'installant en face d'elle sur le comptoir) : Es-tu sûre que tu ne veux pas écouter ce qu'il a à te dire ?

Katherine (en s'observant dans le miroir) : Oui. Je suis tannée des gars.

Jeanne : Je te comprends. Ce sont tous des morons.

Moi (sarcastique) : Ouin. Je vois qu'Olivier et Jules n'ont pas du tout affecté votre jugement.

Jeanne : Pff. Et tu vas me faire croire qu'Alex n'a pas influencé le tien ?

Moi (en haussant les épaules) : Un peu. Mais j'ai espoir que les gars du cégep ne sont pas tous aussi immatures.

Katherine (en souriant) : OUH ! Des gars comme... Robin des Bois ?

Moi (en rougissant) : Pantoute !

Jeanne : Je suis sûre qu'il va t'avoir à l'usure.

Moi : Je ne crois pas, non.

Katherine : Il ne te fait vraiment aucun effet ?

Moi (en haussant les épaules) : Son acharnement fait du bien à mon ego, mais pour l'instant, ça s'arrête là.

Katherine : Peut-être que votre relation cybernétique te surprendra et évoluera dans le bon sens...

Jeanne (en l'interrompant) : Ou que tu as plutôt affaire à un macho à l'ego démesuré.

Katherine et moi l'avons regardée d'un air perplexe.

Jeanne (en soupirant) : Désolée. Mon expérience avec Jules m'a laissé un goût amer.

Katherine : Je te comprends.

Moi : Et moi donc.

Katherine (en s'arrêtant net) : J'ai une idée !

Moi : Tu veux qu'on te construise un jeu de fléchettes avec la face d'Oli au centre ?

Katherine : Non !

Jeanne : Tu veux qu'on se rase la tête pour former une sorte de secte antigars ?

Katherine : Tu chauffes.

Moi : J'ai peur.

Katherine : Je propose un embargo masculin jusqu'au bal.

Lydia (en sortant d'une cabine pour se laver les mains) : C'est quoi, un lumbago masculin ?

Jeanne (du tac au tac) : C'est quand les gars sont tellement cons que notre irritation se rend à l'épine dorsale.

Lydia a écarquillé les yeux avant de sortir. Katherine et moi avons aussitôt éclaté de rire, mais notre joie s'est évanouie d'un coup lorsque nous avons aperçu Alex et Oli à la sortie des toilettes.

Moi (en observant Alex du coin de l'œil) : J'embarque dans ton histoire d'embargo.

Jeanne (en chuchotant) : Pas question ! Toi, tu as besoin d'un *rebound* pour oublier tu-sais-qui.

Moi : Pff. Je suis capable de faire ça toute seule.

Les filles m'ont dévisagée.

Moi : Je suis si pathétique que ça ?

Katherine (en me prenant par l'épaule) : Mais non, voyons. C'est juste qu'on sait à quel point ta blessure est profonde.

Jeanne : Et que tu as besoin d'un clou pour chasser *l'autre*.

Elle a dit ça en désignant Alex du menton.

Katherine (en souriant) : Et Robin des Bois est tout désigné pour ça !

Bianca (en surgissant derrière nous) : De qui parle-t-on, Léa ? D'un nouveau prétendant ?

Moi (en faisant de gros yeux aux filles) : Un ami.

Bianca (en remettant une feuille à chacune de nous) : J'espère qu'il sera des nôtres pour le grand jour.

Jeanne (en observant le papier qu'elle venait de nous tendre) : C'est quoi, ça ?

Bianca (en nous regardant comme si elle s'apprêtait à nous annoncer son mariage) : Ça y est. La date est fixée.

Katherine (en baissant les yeux sur la feuille) : Déjà ? Je pensais que tu allais consulter le reste du comité avant de décider.

Bianca : Désolée, Kath, mais j'ai dû agir vite. Avec le voyage en France, la direction avait l'air de trouver que notre horaire du printemps était trop chargé. J'ai donc dû devancer le défilé. Bref, on a du pain sur la planche.

Katherine (en écarquillant les yeux) : Le 12 mars ? Mais c'est dans deux mois, Bianca !

Bianca : Deux mois *et une semaine*. Sois positive, Katou !

Katherine : Mais... On n'a rien de fait. Et il nous manque une dizaine de boutiques !

Bianca : Je sais, mais on n'a pas le choix.

Katherine : Comment ça ?

Bianca : Le directeur dit qu'il veut consacrer les mois d'avril et mai aux préparatifs du voyage et à la préparation aux examens finaux.

Katherine (en secouant la tête) : Est-ce qu'il réalise la quantité de travail que ça implique ?

Bianca (en lui répondant comme si elle avait deux ans et demi) : Katou, je crois que si tu adoptes une approche plus optimiste, tu réaliseras que tout est possible.

J'ai jeté un coup d'œil à Kath en espérant qu'elle l'envoie paître avec sa psychologie à deux cennes, mais à mon grand désarroi, elle s'est contentée d'esquisser un sourire désolé.

Katherine : Tu as raison, Bibi. On va y arriver !

Bianca (en tapant des mains) : *That's the spirit !* On n'a qu'à mettre les bouchées doubles ! Cette semaine, on ira faire le tour des boutiques du Centre Eaton et du boulevard Saint-Laurent pour se trouver d'autres commanditaires, tandis que les autres filles du comité plancheront sur les chorégraphies. D'ailleurs, Léa, je peux déjà t'annoncer que tu as une première répétition ce vendredi. Lydia et Sophie ont travaillé fort pendant les fêtes. C'est la seule qui est presque terminée.

Moi : Sophie et Lydia sont responsables de mon numéro ?

Bianca : Oui.

Moi : Je croyais que c'est Kath qui allait s'en occuper !

Bianca (en adoptant le ton d'une éducatrice de garderie) : Katherine est une assistante hors pair et très talentueuse, mais elle n'a pas encore développé la capacité de se dédoubler et de s'occuper de tout, Léa.

J'ai l'ai dévisagée.

Bianca (en souriant) : Ne t'en fais pas. Lydia et Sophie m'ont présenté leur idée et c'est super bon.
Moi (à bout d'arguments) : Mais... Je... Il fait -700 dehors. Je n'ai pas envie de parader en maillot avec ma peau de poulet !
Bianca (en passant son bras autour de mes épaules) : Relaxe. Tu n'auras pas à enfiler ton costume de bain lors des premières répétitions. L'important, c'est que tu mémorises tes déplacements. Et tu pourras compter sur une équipe de pros pour t'aider à le faire !

Joie.

La cloche a retenti et j'ai rejoint ma classe sans ajouter un mot.

Après les cours, Éloi m'a interceptée à la sortie de l'école.

Éloi : Léa, attends !
Moi : Salut, toi ! Je ne t'ai pas vu de la journée !
Éloi : Je sais. Éric et moi avons eu une réunion spéciale ce midi pour préparer les derniers numéros du journal. Il faut d'ailleurs que je te parle de ton prochain article.

Il m'a alors tendu la feuille annonçant la tenue du défilé de mode.

Moi (en la roulant en boule) : Oublie ça.

Éloi : *Come on*, Léa ! Tu nous as promis de faire un compte rendu de ton expérience.

Moi : Ça ira en mars.

Éloi : Pas question ! On veut que tu fasses un suivi des répétitions.

Moi (en haussant un sourcil) : Ça veut dire quoi, exactement ?

Éloi : Qu'est-ce qui se passe lors des répétitions ? Qui craque sous la pression ?

Moi (en le dévisageant) : Euh, c'est juste le défilé de l'école, Éloi.

Éloi : Aux yeux des quidams de l'école, ça équivaut à une saison de *La prochaine top modèle américaine*.

J'ai soupiré.

Éloi (en se radoucissant) : Tu n'as qu'à nous résumer ton expérience et nous raconter ce que tu ressens lorsque tu marches sur la scène.

Moi : De la honte.

Éloi : Sinon, concentre-toi sur les potins. Au pire, inventes-en !

Moi (en riant) : Ce n'est pas *full* éthique.

Éloi (en haussant les épaules) : Bah. Exagère un peu, alors.

Moi : C'est ta nouvelle fréquentation qui a une influence aussi rebelle sur toi ?

Éloi : Qui, ça ?

Moi : La fille de première année de cégep que tu vois dans tes céréales depuis quelques semaines.

Éloi : Elle s'appelle Sandrine.

Moi : Et c'est sérieux, votre affaire ?

Éloi : Ça le deviendra peut-être si j'arrive un jour à l'embrasser.

Moi (en souriant) : Qu'est-ce qui te freine ?

Éloi : Elle. Des fois, on dirait qu'elle m'aime bien, mais d'autres fois, elle me traite comme si j'étais son petit frère. C'est un peu déstabilisant. Je pense que je ne comprends officiellement rien aux filles. Vous êtes trop compliquées.

J'ai éclaté de rire.

Moi : Je crois au contraire que c'est vous, les gars, qui compliquez les choses. Si vos intentions étaient claires, tout serait plus simple.

Éloi : Qu'est-ce que tu veux dire ?

Moi : Que si Oli avait simplement expliqué à Kath qu'il trouvait ça trop complexe de la fréquenter, la situation n'aurait jamais dégénéré entre eux. Que si Jules avait fait comprendre à Jeanne qu'il ne voulait rien de sérieux dès qu'ils se sont rencontrés, elle aurait su à quoi s'attendre.

Que si Alex m'avait juste dit que je n'étais pas son genre au lieu de mettre ça sur le dos de ses troubles intérieurs, j'aurais aussi eu plus de facilité à passer à autre chose. Et que si tu disais franchement à ta Sandrine qu'elle te plaît et que tu n'as pas envie d'être son jeune *bro*, tu saurais plus rapidement à quoi t'en tenir.

Il m'a regardée, bouche bée.

Moi : Je dois filer.
Éloi : OK...
Moi : Pour ce qui est de l'article, je vais voir ce que je peux faire. À demain, grand rebelle !

Je suis rentrée chez moi, convaincue plus que jamais que les gars avaient été mis sur Terre pour nous compliquer l'existence.

Le reste de ma semaine a filé à toute allure, et j'appréhende évidemment ma répétition de demain et le party pour Alex. Je réalise que je me porte quand même beaucoup mieux quand il ne se trouve pas directement dans mon champ de vision.

Sur ce, je dois te laisser : j'ai une tonne de devoirs à faire, et comme mes séances de tutorat avec Mégane reprennent bientôt, je veux prendre un peu d'avance.

J'espère que les choses se replacent pour toi. Je t'aime.
Fais-moi signe si tu as besoin de moi !

Léa xox

Chapitre 2 :
Rumeur et chihuahua

À : Léa_jaime@mail.com
De : Marilou33@mail.com
Date : Mardi 12 janvier, 16 h 49
Objet : Marilou contre-attaque

Salut, Léa !

Avant toute chose, laisse-moi te rassurer : ce n'est pas l'espèce de poivron flétri qui t'écrit aujourd'hui, mais bien la #NouvelleLou avec qui tu as célébré la nouvelle année. Après avoir passé près d'une semaine à lutter contre l'envie irrépressible de rester dans mon lit et à faire des efforts surhumains pour me montrer forte à l'école, j'ai finalement reçu une dose d'inspiration inespérée en consultant mon compte Instagram ce matin.

Il y avait une photo de Laurie qui apparaissait en train de faire du jogging à -30. La légende disait : « Maintenant, plus personne ne peut m'arrêter. » On parlait ici d'une fille qui venait de se faire trahir par son chum de la façon la plus horrible qui soit, et qui arrivait malgré tout à garder la tête haute, à courir dans des conditions extrêmes et à rester optimiste. C'est la meilleure leçon que je pouvais recevoir. Je me suis levée d'un bond, j'ai pris une douche, j'ai appliqué un peu de mascara, j'ai enfilé mon jeans et mon chandail préférés et j'ai pris un *selfie* en souriant à pleines dents (sans chemin de fer ni morceau de brocoli).

#JeNeMeLaisseraiPlusIntimider

J'ai tout de suite reçu une pluie de *likes* 👍, suivie d'un commentaire désobligeant.

Sarah_Beaupré : Cé ce que tu panse.

Son commentaire m'a piquée comme une flèche. J'ai pris mon sac à dos et j'ai marché d'un pas décidé jusqu'au cégep. J'ai alors croisé Thomas près de la cafétéria.

Thomas : Marilou ? Qu'est-ce que tu fais ici ? Tu n'as pas de cours, ce matin ?
Moi : Oui, mais j'avais quelque chose d'urgent à régler.
Thomas : Une chicane avec JP ?
Moi : Non. Une petite mise au point avec ton ex. D'ailleurs, sais-tu où je peux la trouver ?

Thomas a écarquillé les yeux.

Thomas : Marilou, je ne crois pas que ce soit une bonne idée. Elle est vraiment imprévisible, ces temps-ci. Tu n'arriveras à rien en essayant de discuter avec elle.
Moi (en regardant autour de moi) : Qui dit que je veux discuter ?

Thomas : De toute façon, elle n'est pas au cégep. Comme c'est une semaine d'orientation, elle en profite pour accumuler des heures au salon de bronzage.

J'ai soupiré avant de le regarder d'un drôle d'air.

Moi : Comment tu sais ça, toi ?
Thomas : Pour l'orientation ? Ben, je fréquente ce cégep, alors je suis au courant de ce qui se passe. Les cours ne reprennent pas avant la fin de la semaine prochaine. Moi, je suis ici pour visiter l'atelier de mécanique. Je ne sais pas si tu savais, mais j'ai décidé de faire un cours en...
Moi (en plissant les yeux) : Ce n'est pas ce que je voulais dire, Thomas.

Il m'a regardée en feignant l'innocence.

Moi : Comment sais-tu que Sarah ne vient pas au cégep et qu'elle travaille aujourd'hui ?
Thomas : Euh, je me souviens de son horaire.
Moi (en le dévisageant) : Thomas ?
Thomas : Hum ?
Moi : Est-ce que tu parles encore à Sarah ?
Thomas : Oui et non. C'est compliqué.
Moi : Non, ce ne l'est pas. Tu n'as qu'à ignorer ses appels et ses textos. Ou encore mieux : ignorer son existence !

Thomas (en me regardant d'un drôle d'air) : Tu es mal placée pour parler, Marilou.

Moi : Qu'est-ce que tu veux dire ?

Thomas : Que comme tu es en train de sécher tes cours pour venir régler tes comptes avec elle, tu es loin du détachement.

Moi : Thomas, cette fille-là essaie de gâcher mon existence depuis que tu es tombé amoureux de Léa. Ça fait trois ans que j'endure ses commentaires désobligeants et son attitude nocive en me fermant la trappe. Mais là, c'est assez. J'en peux plus.

Thomas (en baissant les yeux) : Qu'est-ce que tu voudrais lui dire, exactement ?

Moi : Pourquoi ? Est-ce que tu comptes lui transmettre le message ?

Il s'est contenté de hausser les épaules.

Moi : *Come on*, Thomas ! Tu ne vas quand même pas reprendre avec une fille qui te traite comme une verrue ?

Thomas : Je ne veux pas être bête, Marilou, mais ce n'est pas de tes affaires.

J'ai détourné le regard, blessée.

Thomas (en se radoucissant) : Écoute... Je suis sincèrement désolé pour ce qu'elle a fait. Il n'y a rien qui puisse justifier ses actions. Et je ne suis pas en train de la défendre ni te prétendre que tu dois te laisser faire. Je dis juste que ce qui se passe entre elle et moi, ça ne regarde que nous.

Moi : Je ne peux pas croire que tu sois déjà sorti avec une fille aussi extraordinaire que Léa, et que maintenant, tu te rabaisses avec un bourreau pareil.

Thomas : Je ne nierai pas qu'elle m'a blessé, Marilou, mais tu sais comme moi que l'erreur est humaine.

Je n'ai pu m'empêcher de m'esclaffer.

Moi : Tu vas comparer ma petite erreur de parcours à la trahison de Sarah ?

Thomas : Je dis juste que tout n'est pas blanc ou noir. Et que tu ne connais pas Sarah autant que moi.

Moi : Ben c'est ça ! Reste donc avec ta tatouée. Chaque torchon trouve sa guenille !

Thomas : Marilou, je...

Moi : Je ne sais pas pourquoi je m'acharnais à penser qu'on pouvait être amis, toi et moi.

J'ai tourné les talons et je suis sortie du cégep. J'ai alors entendu la voix de JP au loin.

JP : Lou ! Attends !

Il a couru pour me rattraper près de l'arrêt d'autobus.

JP (en me prenant par les épaules) : Qu'est-ce que tu fais ici ?

Moi : Longue histoire. Je voulais régler des choses avec Sarah, mais son chum m'a dit qu'elle travaillait.

JP : Son chum ?

Moi : Thomas. Qui d'autre ?

JP : Aux dernières nouvelles, ils ne sortaient pas ensemble.

Moi : Pff. C'est une question de jours. Ils sont pires que Maude et José, ceux-là.

JP : Qui ?

Moi : Laisse faire.

JP : Et tes cours ?

Moi : J'ai raté la première période. Ça me vaudra sans doute une retenue. C'est fou ; Sarah me cause des ennuis même quand je ne la vois pas. Et toi, qu'est-ce que tu fais ici ?

JP : J'ai un entraînement de basket dans une demi-heure. Veux-tu que je te raccompagne à l'école ?

Moi : Non, merci. Ça va me faire du bien de m'aérer l'esprit.

J'ai senti que ma réponse l'énervait un peu.

Moi (en me collant contre lui) : Je te jure que je ne dis pas ça pour te repousser, JP.

Il m'a regardée, l'air peu convaincu.

60

Moi : Est-ce que tu retrouverais ton sourire si je t'invitais chez mon père, samedi ? Il a un party de bureau et Zak sera chez ma mère. On pourrait donc se faire une soirée romantique...

JP (en souriant) : C'est une offre difficile à refuser.

Moi : Ben, accepte, d'abord !

JP : OK.

On s'est embrassés et j'ai affronté le froid polaire jusqu'à l'école. J'ai dit à la secrétaire que je n'avais pas entendu mon cadran sonner, et j'ai eu droit à un simple avertissement.

Quand la cloche annonçant l'heure du dîner a retenti, Steph et Laurie se sont ruées sur moi.

Laurie : T'étais où ? Pas dans un coma végétatif, j'espère ?

Moi (en souriant) : *Nope*. C'est fini, ça ! Laurie, ton exploit sportif matinal m'a donné la claque dont j'avais besoin pour affronter mes démons.

Elles m'ont regardée d'un air perplexe.

Moi (en roulant les yeux) : Je parle de Sarah, évidemment. Elle s'est permis de me menacer sur Instagram, alors je suis allée la voir au cégep ce matin.

Steph : Pourquoi ?

Moi : Lui parler.

Steph : Et ?

Moi : Elle n'était pas là.

Laurie : Mais tu voulais lui dire quoi, exactement ?

Moi (en haussant les épaules) : Je ne sais pas. De me laisser tranquille. Genre pour toujours.

Les filles ont retenu un rire.

Moi : Ben là ! Je pensais que vous seriez fières de moi !

Laurie : Chérie, je suis contente que tu reprennes le dessus, d'autant plus que tu commençais à avoir le teint verdâtre. Le problème, c'est que je ne crois pas que Sarah soit le genre de personne avec qui tu peux t'asseoir tranquillement pour partager ton point de vue.

Moi (encore pompée) : Alors tu proposes quoi ? Que je lui envoie une lettre enflammée ?

Laurie : Non. Elle la brûlerait avant même de la lire. Comme je te l'ai déjà dit mille fois, avec elle, il vaut mieux opter pour la loi de la jungle.

Moi (en haussant un sourcil) : Je ne suis pas Simba, Laurie. Je ne comprends pas ton jargon animal.

Laurie : Œil pour œil, dent pour dent. C'est plus clair, ça ?

J'ai réfléchi, puis j'ai secoué la tête.

Moi : Et moi, je répète que je ne veux pas me rabaisser à son niveau.

Charlotte Voyer s'est approchée de nous à cet instant.

Charlotte (en se mordant la lèvre inférieure) : Marilou, est-ce que je peux te parler ?

Laurie (encore amère de son commentaire désobligeant devant toute la classe) : Non, tu ne peux pas. Marilou ne discute pas avec les langues de vipères comme toi.

Charlotte m'a regardée d'un air désespéré.

Moi : Qu'est-ce qu'il y a ?

Charlotte : C'est un peu gênant de parler de ça ici...

Laurie : Pourtant, tu n'avais pas l'air gênée de t'ouvrir la trappe devant tout le monde la semaine dernière !

Charlotte a soupiré avant de s'installer devant nous.

Charlotte : Savez-vous si Thomas Raby est célibataire ?

Steph : J'espère, après le coup bas que lui a fait Sarah.

Charlotte (en regardant Laurie d'un air désolé) : C'est donc vrai, l'histoire entre elle et... Jonathan ?

L'inconvénient de vivre dans un village, c'est que tout le monde est au courant de ma vie intime. L'avantage d'habiter dans un village, c'est que tout le monde connaît aussi celle de Sarah Beaupré.

Laurie (d'un air bête) : Ben oui, c'est vrai. Elle a couché avec mon chum.

Charlotte est restée muette quelques instants.

Moi : Pourquoi tu veux savoir tout ça, Charlotte ?

Charlotte : Est-ce que vous me jurez de n'en parler à personne ?

Laurie : Pff ! Tu es mal placée pour exiger de la discrétion. Tu es la fille la plus potineuse de l'école !

Moi (en faisant de gros yeux à Laurie) : Oui, Charlotte. On te le promet.

Charlotte : Je tripe solide sur Thomas Raby. Je suis amoureuse de lui depuis le secondaire 2.

Laurie, Steph et moi l'avons regardée, abasourdies par la surprise.

Charlotte (en poursuivant son récit) : Quand il s'est mis à sortir avec Léa Olivier, ça m'a brisé le cœur, mais ça m'a au moins donné l'espoir qu'il s'intéresse à moi un jour, même si j'étais plus jeune que lui. Puis Sarah lui a mis le grappin dessus. Honnêtement, je n'ai jamais trop compris ce qu'il lui trouvait.

Moi : Crois-moi, tu n'es pas la seule.

Charlotte : Bref, quand Marilou m'a dit que Sarah la détestait pour une affaire de loyauté, j'ai investigué, et on m'a raconté pour le truc qui s'est passé entre elle et l'ex de

Laurie. En passant, je suis désolée que tu sois tombée sur un moron pareil.

Laurie s'est contentée de hausser les épaules en détournant le regard.

Charlotte : L'affaire, c'est que personne n'est capable de me confirmer si elle a repris avec Thomas ou non.

Laurie : On s'en fout. Si tu tripes sur lui depuis trois ans, fais ton *move*, ma fille !

Charlotte : Tu penses ?

Laurie : Oui.

Charlotte : Et toi, Marilou ?

J'étais déchirée. Un côté de moi avait envie de l'envoyer dans la mêlée, mais un autre savait qu'elle avait peu de chance de séduire Thomas s'il était encore amoureux de Sarah.

Moi : Hum, je pense que tu pourrais profiter un peu de la situation pour entrer en contact avec lui et prendre de ses nouvelles. Je ne sais pas où ça te mènera, mais Thomas a besoin de soutien, en ce moment.

Laurie : Et ne te gêne surtout pas pour lui en donner, si tu vois ce que je veux dire.

Moi et Steph : Laurie !

Laurie : Quoi ? Je dis simplement que le *timing* est parfait pour lui montrer qu'il l'intéresse.

Charlotte (songeuse) : D'autant plus que je pars vivre à Québec en juillet et que j'aurai moins d'occasions de le voir par la suite.

Laurie : Exact. Saisis ta chance, ma grande ! *CARPE DIEM !*

Charlotte nous a souri d'un air satisfait avant de s'éloigner.

Moi : Tu es l'incarnation du diable, Laurie Marchand !

Laurie (en haussant les épaules, le sourire aux lèvres) : Je n'ai fait que répéter tes sages conseils, en insistant sur le contact physique.

La cloche nous a finalement indiqué qu'il était temps de regagner nos salles de cours. Je sais que ça va à l'encontre de mes beaux principes, mais je t'avoue que ça me fait un petit velours de savoir que Sarah a de la compétition !

Je dois déjà te laisser, car je veux aller faire quelques longueurs avant le souper, mais je tenais à ce que tu saches que ta meilleure amie a aussi retrouvé son tonus musculaire !

Et toi ? Comment s'est passée ta première répétition ? As-tu survécu au bain de nunuches ? Et le party pour Alex ? Est-ce que ton cœur t'a trahi ? Et as-tu du neuf à propos de Robin des Bois ? Donne-moi des nouvelles !

Lou xox

Jeudi 14 janvier

Léa (en ligne): Depuis quand tu écoutes du rap?

21 h 03

Félix (en ligne): Ce n'est pas du rap. C'est du hip-hop français.

21 h 03

Léa (en ligne): Un relent de ta relation avec Laure?

21 h 03

Félix (en ligne): Non, elle, elle tripait pas mal juste sur Céline.

21 h 04

Léa (en ligne): Hum... Ça vient d'où, alors? Je sais que Zack est plus du genre à écouter du Enya et de la musique de hippie.

Félix (en ligne): De personne. Je fais juste ouvrir mes horizons musicaux. Tu devrais t'initier à ça, toi aussi. Ça te permettrait de découvrir qu'il existe d'autres chanteurs que Ed Sheeran, Sia ou Selena Gomez.

21 h 04

Léa (en ligne): Pff. J'écoute aussi de la musique du monde.

21 h 04

Félix (en ligne): *Despacito,* ça ne compte pas.

21 h 04

Léa (en ligne): Tu m'énerves.

21 h 05

Félix (en ligne): Ouuuuh, Justin! Tu es tellement beau avec tes tatouages et ton look de rebelle!

21 h 05

Léa (en ligne): Arrête de me gosser et baisse ta musique.

21 h 05

Félix (en ligne): Non. Ça m'aide à étudier.

21 h 05

Léa (en ligne): Ta session n'a même pas recommencé !

21 h 05

Félix (en ligne): Hum. Alors ça m'aide à me ressourcer. Ce n'est pas facile de cohabiter avec toi.

21 h 06

Léa (en ligne): J'ai une analyse de texte à faire en anglais et je comprends *nada.* J'ai besoin de silence.

21 h 06

Félix (en ligne): Tu as surtout besoin d'aide. *Nada*, c'est de l'espagnol.

21 h 06

Léa (en ligne): OK. Viens m'aider d'abord.

21 h 06

Félix (en ligne): Je ne peux pas. Je suis occupé.

21 h 07

Léa (en ligne): À te ressourcer ?

21 h 07

Félix (en ligne): Exact.

21 h 07

Léa (en ligne): Si tu acceptes, je vais vider le lave-vaisselle pour toi.

21 h 07

Félix (en ligne): Toute la semaine?

21 h 08

Léa (en ligne): *Dael.* À condition que tu fermes ta musique.

21 h 08

Félix (en ligne): Ça s'écrit «*deal*». Pauvre toi, tu es vraiment poche!

21 h 08

Léa (en ligne): VIENS ICI TOUT DE SUITE!

21 h 09

Félix (en ligne): Hé! Hé! J'arrive.

À : Léa_jaime@mail.com
De : Marilou33@mail.com
Date : Dimanche 17 janvier, 15 h 49
Objet : Ça va mal

Salut, Léa !
J'ai essayé de te joindre sur ton cellulaire pour te faire part de ma crise existentielle, mais ça tombe directement sur la boîte vocale. J'imagine que tu n'as plus de batterie.

Je vais donc te faire un résumé par courriel, en espérant que tu le lises au plus vite. Comme tu sais, les choses s'étaient beaucoup améliorées depuis le début de la semaine. J'arrivais à fréquenter l'école sans avoir envie de me cacher dans les poils du tapis et à accorder suffisamment d'attention à JP pour éviter qu'il ne se sente rejeté. Du moins, c'est ce que je croyais.

C'est hier soir qu'avait lieu notre soirée romantique à la maison. Il s'est pointé vers 18 heures avec un bouquet de fleurs.

Moi (en lui ouvrant la porte) : Aw ! T'es donc bien *cute*.
JP : Je sais.
Moi : Mon père m'a laissé de l'argent pour le souper. Ça te va si on commande de la pizza ?

JP : La dernière fois que je t'ai reçue chez moi, j'ai pris la peine de cuisiner, mais bon...

Moi : De la fondue chinoise, ça ne compte pas.

JP : J'avais mis des chandelles...

Sa remarque m'a fait repenser à cette soirée où lui et moi... avons franchi une autre étape. J'ai aussitôt rougi.

JP (en riant) : Relaxe, Marilou ! Je te niaise ! Pas besoin de te sentir mal !

Moi : Ce n'est pas le cas.

JP (en m'attirant vers lui) : Tant mieux ! Viens me voir, un peu ! Ça fait des semaines que je ne t'ai pas embrassée comme du monde.

J'ai obéi. On s'est collés jusqu'à ce que le livreur de pizza sonne à la porte. On s'apprêtait à regarder un film quand la sonnerie de mon téléphone indiquant la réception d'un texto nous a interrompus.

JP : C'est ton amant ?

Moi (en consultant mon téléphone) : Oui. Il s'appelle Stéphanie.

📱 09-01 20 h 06

Salut, Lou! Je pense que Charlotte nous considère comme ses nouvelles *best,* car elle m'a textée pour nous inviter à un party de dernière minute chez elle. Elle dit qu'elle profite de l'absence de ses parents pour créer un rapprochement avec Thomas. Je suis trop curieuse! Tu nous rejoins?

JP (en me prenant par les épaules): Est-ce que la réponse peut attendre à demain?
Moi: Euh, je...

Bip! Bip!
Un autre texto, de Laurie cette fois.

📱 09-01 20 h 08

Marilou! Amène tes fesses chez Charlotte! C'est au 134, chemin de l'Église. Party improvisé, et Thomas est invité!

JP: Coudonc, tu es populaire ce soir!
Moi: Ouais, c'est Laurie et Steph. Elles voulaient me dire qu'il y avait un party chez Charlotte, une fille de l'école.
JP: Je sais. Thomas me l'a dit. Il voulait me convaincre d'y aller avec lui et Seb.
Moi: Ça ne te tente pas qu'on aille y faire un tour?

JP (en se laissant tomber sur le sofa) : Pour passer une soirée avec des gens du secondaire à qui je n'ai rien à dire alors que je peux passer du temps seul avec ma blonde ? Non merci.

Moi : Euh, c'est parce que je suis encore au secondaire, moi aussi.

JP (en m'attirant vers lui) : Tes baisers me font oublier ton âge.

Moi : Têteux.

JP : Allez ! Embrasse-moi au lieu de gosser sur ton téléphone.

Moi (en tapant du pied) : Je dois d'abord répondre aux filles. Je leur dis quoi ?

JP : Que tu passes une soirée avec ton chum.

Moi : Mais on va peut-être rater un party mémorable !

JP : Ou une soirée de couple exceptionnelle.

Moi (en m'assoyant sur ses genoux et en lui faisant des yeux de chien abandonné) : *Come on*, chéri. Ça ne va quand même pas te tuer de passer une petite heure chez Charlotte ?

JP (en soupirant) : Je n'ai pas envie, Marilou. D'autant plus que c'est le seul moment que tu as daigné m'accorder cette semaine.

Moi : Ce n'est pas vrai. On s'est parlé tous les soirs !

JP : Pendant, genre, une minute.

Moi : Ce n'est quand même pas de ma faute si j'ai plein de travaux à faire !

JP : Pff ! *Bullshit !*

Moi : Pardon ?

JP : Ne mets pas ça sur le dos de l'école, Lou. Je te connais assez pour voir qu'il y a quelque chose qui cloche.

Moi : Qu'est-ce que tu veux dire ?

JP : Que tu es super distante avec moi depuis... depuis le fameux soir où tu es venue chez moi. Je croyais qu'on avait mis tout ça derrière nous, mais j'ai le *feeling* que je me suis trompé.

Moi : Je t'assure que tu capotes pour rien, JP !

JP : Alors pourquoi est-ce que j'ai l'impression que je suis toujours en train de te courir après ou de te supplier de passer du temps avec moi ? Qu'est-ce qui se passe, Lou ?

Je me suis mordu la lèvre supérieure. J'avais l'occasion de tenir ma résolution et de lui avouer que ça me faisait parfois paniquer qu'on soit devenus aussi sérieux et qu'on se mette à planifier notre avenir, d'autant plus que je n'étais pas certaine qu'on aspire aux mêmes choses. Mais comme j'ai manqué de courage, j'ai plutôt opté pour une demi-vérité.

Moi : Parce qu'une partie de moi se sent triste que le secondaire se termine. Je sais que tu es déjà passé par là, Jean-Philippe, mais pas moi. Et c'est normal que j'aie envie d'assister aux partys des gens de mon niveau. Ce sont des moments importants et des souvenirs que je vais vouloir garder et traîner avec moi.

Il m'a regardée en fronçant les sourcils.

JP : Tu ferais vraiment une bonne avocate.
Moi (en souriant) : Est-ce que ça veut dire que tu me comprends un peu ?

JP a soupiré en roulant les yeux.

JP : Je ne suis pas con à ce point-là, Lou. Si tu tiens tellement à aller chez Charlotte Machin, vas-y.
Moi : Seulement si tu m'accompagnes.

JP a grimacé.

Moi : Allez ! Tes amis seront là, en plus !

Je me suis approchée de lui en clignant les cils.

Moi : S'il te plaît, mon chum-chéri-que-j'adore !
JP (en cédant à mon chantage) : Tu m'énerves.
Moi (en tapant des mains) : Yé ! Vite, enfile ton manteau !
Les filles nous attendent.

Je l'ai pris par la main et nous nous sommes rendus chez Charlotte en essayant d'attraper des flocons avec notre langue. Lorsque nous sommes arrivés chez elle, elle nous a ouvert la porte dans un nuage de fumée.

Moi (en toussant) : Ark ! Tu ne peux pas demander aux gens de fumer dehors ?

Charlotte : C'est de la boucane artificielle ! C'est ma cousine qui m'a prêté sa machine. Pas pire, hein ?

J'avoue que j'étais impressionnée par la décoration et l'ambiance. Elle avait installé des tables bistro pour que les gens puissent discuter en petits groupes et avait accroché des lumières multicolores un peu partout.

Moi : Wow ! Pas pire pour une fête improvisée !

Charlotte : Mon père est machiniste de plateau alors on a toujours tout plein d'accessoires chez moi.

JP s'est éloigné pour saluer ses amis.

Moi (en désignant discrètement Thomas du menton) : Et comment ça avance avec lui ?

Charlotte : Moyen. Je lui ai parlé de sports d'hiver pendant sept minutes. Rien pour convaincre un gars que je suis la femme de sa vie.

Laurie (en se rapprochant de nous, le sourire aux lèvres) : Charlotte, retourne voir Thomas avant qu'une autre fille l'accapare.

Charlotte : Mais je ne sais pas quoi lui dire !

Moi : Pourquoi tu ne lui demandes pas simplement comment il se sent ? Avec tout ce qui lui arrive, il a sûrement besoin de se confier.

Charlotte : Ce n'est pas un peu indiscret ?

Moi : Je pense qu'il est très conscient que tout le village est au courant de ses déboires amoureux.

Laurie : Marilou a raison. Sans compter que les confidences incitent aux rapprochements physiques.

Charlotte est repartie d'un air déterminé, et Laurie m'a souri à pleines dents.

Moi : Qu'est-ce qui te rend aussi heureuse, coudonc ?

Laurie (m'envoyant une pièce jointe par texto) : Une petite photo que j'ai prise tantôt.

J'ai jeté un coup d'œil à mon écran. On voyait Charlotte qui parlait dans l'oreille de Thomas alors qu'ils étaient assis sur le sofa. Je savais bien qu'elle essayait simplement de se faire entendre malgré la musique, mais sans le contexte, l'image donnait l'impression qu'ils étaient sur le point de s'embrasser.

Moi : Et qu'est-ce que tu comptes faire avec ça ?

Laurie (en haussant les épaules) : Rien de spécial. À part l'envoyer à Sarah.

Moi : Et déclencher la Troisième Guerre mondiale ?

Laurie (en haussant les épaules) : On n'a qu'à le faire de façon anonyme.

Moi : Et tu penses qu'elle ne se doutera pas que ça vient de l'ex du gars avec qui elle vient de coucher, ou de la fille de qui elle vient de révéler la vie intime ?

Laurie : Marilou, je m'en fous qu'elle le sache. Je veux juste qu'elle souffre.

Laurie s'est laissée tomber sur une chaise en soupirant, puis elle a levé les yeux vers moi. Ils étaient remplis d'eau.

Moi (en me penchant vers elle) : Laurie, je suis désolée. Je ne voulais pas te faire pleurer.

Laurie : Ce n'est pas de ta faute. C'est... lui.

Je me suis installée auprès d'elle et j'ai passé mon bras autour de son épaule.

Laurie : Je sais que j'ai l'air de reprendre le contrôle de ma vie et d'être super forte, mais Jonathan m'a brisé le cœur, Lou. J'étais même prête à coucher avec lui !

Moi : Tu n'as pas à t'en vouloir de lui avoir fait confiance. C'est lui le monstre dans cette histoire.

Laurie : Peut-être, mais ça ne calme pas ma colère et ma peine.

Moi (en la regardant d'un air espiègle) : Peut-être que si tu publiais quelques photos du party sur Facebook et

Instagram, dont celle de Thomas et Charlotte, question de t'assurer que Sarah les voit, ça mettrait un baume sur ta blessure ?

Laurie (en se tournant vers moi, le sourire aux lèvres) : Marilou Bernier qui se déniaise enfin !

J'ai éclaté de rire.

Laurie : C'est gentil de le proposer, mais je préfère garder mes munitions pour plus tard.

Steph nous a rejointes et on a passé près d'une heure à essayer de faire rire Laurie.

Steph : Et quand tu seras grande, tu pourras utiliser toutes ces expériences pour écrire tes mémoires !

Moi : Et on pourra les adapter au grand écran. En prenant soin de choisir l'acteur le plus détestable pour interpréter Jonathan.

JP est alors apparu devant nous.

Moi : Aide-nous, JP ! On essaie de transformer les malheurs de Laurie en succès hollywoodien !

JP (un peu bête) : Je ne suis pas bon là-dedans.

Moi : Allez ! C'est pour une bonne cause.

JP : Je suis désolé, mais je n'ai pas trop la tête à ça, Marilou.

Il s'est éloigné sans ajouter un mot.

Moi : Désolée, les filles. Apparemment, JP a laissé sa bonne humeur chez lui.

Steph : C'est vrai qu'il n'a pas trop l'air de filer, ce soir.

Laurie : Tu ferais peut-être mieux d'aller le voir.

J'ai acquiescé et je me suis approchée de lui en fronçant les sourcils.

Moi : Qu'est-ce qui te prend d'être bête comme ça avec mes amies ?

JP : Je suis tanné d'être ici.

Moi : Ce n'est pas de leur faute, ça.

JP : Je sais, mais je n'ai pas envie de *faker* de la joie. Est-ce qu'on peut partir, s'il te plaît ?

Moi : Mais on vient à peine d'arriver !

JP : Faux. On est ici depuis presque deux heures. Je pense que j'ai fait mon effort de guerre.

Moi : Tu ne t'amusais pas avec tes amis ?

JP : Seb *frenche* une fille et Thomas se fait *cruiser* par Charlotte.

Moi : Ben joins-toi à nous, d'abord !

JP : Je n'ai pas envie de participer à votre thérapie de filles, Marilou. Je veux juste passer du temps avec ma blonde.

Moi : Et moi, j'ai envie de rester.

J'ai croisé mes bras sur ma poitrine avant de poursuivre.

Moi : *Come on*, JP ! Pour toutes les fois où je t'ai accompagné dans les partys plates de Sarah et ses greluches, il me semble que tu me dois ça !

JP : Au moins, je ne t'ai jamais abandonnée dans un coin.

J'ai haussé un sourcil.

JP : Est-ce que c'était trop te demander de rester un peu auprès de moi au lieu de me *flusher* pour tes amies ?

Moi : Laurie ne file pas. Je ne pouvais quand même pas la laisser seule !

JP : Je suis sûre qu'elle et Steph auraient survécu.

J'ai soupiré.

Moi : Je ne suis pas venue ici pour qu'on se *frenche* dans un coin. J'ai envie de socialiser et de voir le monde.

JP (en enfilant son manteau) : C'est bon. Le message est clair.

Moi (en essayant de le retenir) : Ne t'en va pas comme ça, s'il te plaît !

JP : Marilou, tu capoterais si je te faisais un truc pareil.

Moi (sur la défensive) : Tellement pas !

JP (en éclatant) : C'est vrai qu'avec ta nouvelle personnalité, tu n'as plus besoin de personne, toi. Tu fais tes plans d'études dans une autre ville, tu sors avec tes amis, tu gères tes crises toute seule...

Moi (en l'interrompant) : Euh, c'est quoi, ça ? Un vomi émotif ?

JP : Exactement. Je suis tanné de me retenir.

Moi : OK, ben on peut être deux à jouer à ça.

JP : Ça veut dire quoi, exactement ?

Moi : Que tu n'es pas le seul à avoir des frustrations !

JP (baveux) : Vas-y. Je t'écoute.

Moi (en explosant) : J'ai seize ans, Jean-Philippe ! Pas quarante. Je n'ai pas envie de planifier mon avenir au quart de tour ni de passer chaque minute de mon temps collée sur toi. On n'est pas mariés, à ce que je sache !

On a échangé un regard. Derrière sa colère, je voyais que je l'avais blessé.

JP : Fais donc ce que tu veux.

Il a tourné les talons et il est sorti en claquant la porte. J'ai alors réalisé que tous les invités du party avaient été témoins de notre chicane et me dévisageaient. Steph s'est aussitôt approchée de moi.

Steph : Ça va ?

Moi : Moyen. On s'est engueulés.

Steph : Ouais, j'ai vu ça. Veux-tu en parler ?

J'ai jeté un regard autour de moi. Tout le monde chuchotait en m'observant. Après la vidéo de Sarah, voilà que ma vie amoureuse devenait un véritable téléroman, et je détestais ça.

Moi : Non. Je veux juste disparaître d'ici.

Je me suis enfermée dans les toilettes et j'ai mis de l'eau sur mon visage pour reprendre mes esprits. Je regrettais déjà de m'être emportée contre JP. Même si son attitude m'énervait, je n'avais pas à l'humilier de cette façon.

Quelqu'un a frappé à la porte et a interrompu ma réflexion. J'ai ouvert et j'ai vu Thomas.

Moi : J'ai fini, tu peux y aller.

Thomas : Est-ce que je peux te parler ?

Moi : Je n'ai pas l'énergie de m'engueuler à propos de ta blonde, Thomas.

Thomas (en soupirant) : Sarah n'est pas ma blonde.

Moi : J'en connais une qui sera contente de l'apprendre.

Il a souri. Il avait évidemment deviné que je faisais allusion à Charlotte.

Moi : De quoi voulais-tu discuter, alors ? Du bouton que j'ai sur le nez ou du fait que mes cheveux ressemblent à de la ficelle ?

Thomas : Ni l'un ni l'autre.

Moi : C'est à propos de ma scène de ménage, alors ?

Thomas : Ouais.

Moi : Je sais que j'ai été *bitch*, Thomas. Pas besoin de me le rappeler.

Thomas (en souriant) : Tu exagères.

Moi : Tu vas me faire croire que tu ne m'attendais pas à la sortie des toilettes pour me traiter de monstre ?

Thomas : Non. Je voulais juste m'assurer que tout allait bien.

Comme il avait l'air sincère et que je ressentais un grand besoin de me confier, j'ai craqué.

Moi (en m'assoyant sur le bord de la baignoire, les larmes aux yeux) : Pas vraiment, non.

Il est entré et a refermé la porte derrière lui avant de s'asseoir sur le couvercle de la cuvette.

Thomas : Je sais que JP ne file pas fort ces temps-ci. Veux-tu me dire ce qui se passe ?

Moi (en soupirant) : J'ai l'impression qu'on vit sur deux planètes, en ce moment.

Thomas : Qu'est-ce que tu veux dire ?

Moi : Je ne sais pas... Genre que JP sait exactement ce qu'il veut, et où il s'en va.

Thomas : Mais ce n'est pas ton cas ?

Moi : Non. J'ai passé toute ma vie dans ce village, et je m'apprête à me lancer dans le vide.

Thomas : Et qu'est-ce que ça te fait ressentir ?

Moi : Un mélange de tristesse et d'exaltation. De nostalgie et d'enthousiasme. Est-ce que tu vois ce que je veux dire ?

Thomas : Hum. C'est sûr que je m'identifie un peu plus à JP. La preuve, c'est que je ne suis pratiquement jamais sorti de notre village et que ça m'a terrorisé que Léa aille vivre à Montréal. Moi, j'aime la stabilité. C'est pour ça que je travaille encore au garage de mon oncle et que je m'apprête à étudier au cégep qui se trouve à dix minutes à pied de la maison où j'ai grandi.

J'ai baissé les yeux.

Thomas (en se penchant vers moi) : Mais ça ne veut pas dire que je ne comprends pas ce que tu ressens. Et je suis pas mal certain que JP comprendrait, lui aussi.

Moi : Tu penses ?

Thomas (sarcastique) : Oui. Surtout si tu lui expliquais tout ça sans hurler devant tout le monde.

J'ai ri.

Moi : Merci de m'avoir écoutée. Avec tout ce que vit Laurie, je n'ose pas trop l'accaparer avec mes problèmes.

Thomas : Ça me fait plaisir. Et sache que même si tu penses que je suis un con de pardonner certaines choses à certaines personnes, je suis quand même là... genre... pour toi. Comme ami, je veux dire.

Moi : Je pense que Léa hallucinerait de t'entendre dire ça.

Thomas a souri, et j'ai pris une profonde inspiration avant de poursuivre.

Moi : Thomas ? Pourquoi Sarah me déteste-t-elle autant ?

Thomas (en haussant les épaules) : Je pense que tu représentes un peu tout ce qu'elle ne sera jamais.

Moi : Une grande échalote qui a passé deux ans avec un chemin de fer dans la bouche ?

Thomas : Non. Une fille déterminée qui n'a pas peur de prendre des risques parce qu'elle a confiance en elle.

Moi : Pff. Elle me connaît mal.

Thomas : C'est ce que tu dégages, en tout cas.

Moi : Et c'est pour ça qu'elle me hait ? Parce que j'ai l'air d'être sûre de moi ?

Thomas : Ouais. Et sans doute parce qu'elle t'associe encore à Léa, qui est un peu une figure mythique. Elle sait à quel point ç'a été difficile pour moi de me séparer d'elle.

Moi : Je peux être honnête avec toi ?

Thomas : Est-ce que ça t'arrive de ne pas l'être ?

J'ai souri.

Moi : Je suis contente de t'avoir donné une chance comme humain. Je réalise que, contrairement à ce que je pensais dans le temps que tu sortais avec Léa, tu es plus intelligent qu'un géranium.

Thomas a éclaté de rire.

Thomas : De la part de n'importe qui d'autre, je le prendrais mal. Mais venant de toi, je sais que c'est un compliment.

Moi (en reprenant mon sérieux) : Tu sais ce qui me ferait du bien, Thomas ?

Thomas : Quoi ?

Moi : De te voir avec une fille qui te mérite.

Quelqu'un a alors frappé à la porte.

Charlotte : Il y a quelqu'un ?

Moi (entre mes dents) : Parlant du loup.

J'ai ouvert.

Charlotte : Salut, vous deux ! Je vous cherchais partout !
Ça va, Marilou ? Ça avait l'air de brasser pas mal entre ton
chum et toi.
Moi : Ça va très bien, Charlotte. C'était juste un malentendu.

J'ai souri et je suis sortie pour les laisser seuls. J'ai
finalement été dormir chez Laurie, et on a passé une partie
de la nuit à parler des gars et des maux de tête qu'ils nous
occasionnent.

Je suis rentrée chez moi ce midi, et je n'ai toujours aucune
nouvelle de JP. Je sais que c'est à moi de faire les premiers
pas, mais pour une rare fois, je sais pas trop comment m'y
prendre.

Fais-moi signe si tu peux te connecter aujourd'hui pour
qu'on *skype*.

Lou xox

À : Marilou33@mail.com
De : Léa_jaime@mail.com
Date : Lundi 18 janvier, 07 h 41
Objet : Où es-tu ? ?

Lou, t'es où ?
Je t'ai écrit hier et je t'ai appelée, mais je n'ai pas eu de nouvelles. As-tu parlé à JP, finalement ? Si ce n'est pas déjà fait, je pense que tu devrais simplement t'excuser et lui expliquer les choses comme tu l'as fait avec Thomas le soir du party.

Parlant de lui, je trouve ça très cool qu'il t'ait écoutée et réconfortée quand tu en avais besoin. D'autant plus que ce n'était pas trop son fort quand on sortait ensemble. Il faut croire que ses mélodrames avec Sarah font aussi ressortir le meilleur de lui.

Pour le reste, je sais que ce doit être angoissant de sentir que JP et toi n'êtes pas tout à fait sur la même longueur d'onde ces temps-ci, mais je persiste à croire que tout peut s'arranger entre vous. Vous avez déjà traversé d'autres tempêtes, et je suis sûre que vous arriverez à en ressortir encore plus forts.

Je sais que ça sonne un peu quétaine, mais vous représentez mon modèle en termes de couple. Après tout, je ne connais pas beaucoup de gens du secondaire capables de tenir une relation pendant plus de quelques mois (à part Maude et José, mais mettons qu'eux, c'est plus l'exemple à ne pas suivre).

Parlant de la reine des nunuches, laisse-moi te distraire en te racontant notre dernière prise de bec lors du party pour Alex vendredi dernier.

La journée avait déjà mal commencé avec un examen de maths et la première répétition de la chorégraphie du défilé.

Bianca (en m'accueillant dans le gymnase comme si j'étais Kendall Jenner) : La voici enfin ! Notre mannequin adorée !
Moi (en regardant derrière moi) : Hein ? Qui ça ?
Bianca : Ben toi, c't'affaire ! Sophie et Lydia ont mis du *tape* par terre pour délimiter la scène. C'est là qu'elle sera construite. Comme ça, quand elles te donneront les indications, tu sauras exactement où te placer. D'ailleurs, il va te falloir un cahier pour noter tes déplacements. Tu peux le faire selon le rythme, ou te donner un *cue* avec la chanson. Genre si Katy dit « *because I am a champiooonnn* » et que tu dois lever un bras dans les airs comme Céline, ben tu l'inscris dans ton carnet.
Moi (en la regardant comme si elle venait de me parler de physique quantique) : Euh, je ne suis pas sûre de comprendre.

Bianca : Pas grave. Tu vas *catch up* pendant l'enchaînement.

Moi : Si tu me parles en anglais, ça n'aidera rien à ma compréhension.

Lydia (en roulant les yeux) : Elle veut dire que c'est en faisant l'exercice que tu vas comprendre ce que tu dois faire.

J'ai acquiescé et j'ai fouillé dans mon sac à la recherche d'un papier et d'un crayon.

Moi : OK, je suis prête. Où sont les autres mannequins ?

Bianca : Qui, ça ?

Moi : Les autres qui défilent avec moi.

Bianca : Elles ne viennent pas.

Moi : Pourquoi ?

Bianca : Parce qu'elles n'existent pas.

Moi : Euh, quand tu m'as présenté l'idée l'automne dernier, tu m'as dit qu'il y aurait trois autres filles en bikini et une en trikini.

Bianca (en détournant le regard) : Ah ouais. Les plans ont changé.

Moi : Ça veut dire quoi, ça ?

Bianca : Que finalement, la boutique a refusé de nous prêter les bikinis, et que je trouvais que ça ne servait à rien de te jumeler avec une fille en trikini alors que ton maillot en est pratiquement un.

Moi : Ce n'est pas un trikimachin ! C'est une mutation entre un tigre et un vêtement, et il est hors de question que je défile toute seule !

Bianca (en essayant de me calmer) : Je comprends ton stress, ma chérie, mais je t'assure que tout ira bien. Les filles ont eu une super idée pour ta chorégraphie !

Moi : Me remplacer par Maude ?

Bianca (en souriant) : *You wish !* Non, tu défileras sur la chanson *Roar* de Katy Perry et tu seras entourée de trois danseuses déguisées en tigresses.

J'ai cligné des yeux, soufflée. J'hésitais entre éclater de rire ou partir à pleurer. J'ai finalement choisi la première option.

Bianca : Je prends ta réaction pour de l'enthousiasme ?

Moi : Non ! C'est de la dérision ! *Come on*, Bianca ! Tout le monde va rire de moi !

Sophie : Ça ne serait pas nouveau.

Lydia : Mais si ça arrive, ça n'aura rien à voir avec notre chorégraphie.

Moi : Pff ! Comme si vous ne cherchiez pas à m'humilier publiquement avec vos affaires de tigresses !

Lydia : Du tout ! La preuve, c'est qu'on sera sur scène avec toi.

J'ai regardé Bianca, perplexe.

Bianca : C'est vrai. Tant qu'à enseigner les pas de danse à quelqu'un d'autre, Sophie et Lydia trouvaient ça beaucoup plus simple de le faire elles-mêmes. Et comme Marianne fait de la danse depuis qu'elle est toute petite et qu'elle est leur mentore, elle fera partie de la troupe, elle aussi.

Moi : Donc non seulement je dois me pavaner dans un maillot hideux, mais en plus, les trois filles qui me détestent le plus au monde danseront autour de moi habillées en prédatrices ?

Bianca : Allons, Léa ! Donne-moi un peu de crédit, s'il te plaît. Je ne suis pas du genre à monter un spectacle qui ne soit pas à la hauteur, et si je dis que leur idée est géniale, il faut que tu me croies.

J'ai soupiré. Ça ne servait à rien de m'entêter, car je savais que Bianca ne lâcherait pas le morceau. L'important était de limiter les dégâts.

C'est d'ailleurs ce que j'ai fait quand notre Bibi nationale m'a montré les souliers plateformes qu'elle comptait me faire enfiler pour marcher sur la scène. Je te jure qu'ils devaient mesurer un mètre.

Moi : Je ne peux pas mettre ça.

Bianca : Pourquoi ?

Moi : Parce que c'est physiquement impossible ! Je ne suis même pas capable de faire deux pas avec des talons hauts, alors imagine avec des plateformes !

Bianca : Tu serais étonnée de voir à quel point ils sont stables.

Moi : Bianca, je ne peux pas marcher avec des échasses. Je ne suis pas une artiste de cirque. De toute façon, c'est clair que si je *matche* ton maillot avec ces chaussures, ça ne donnera pas le résultat le plus élégant au monde.

Bianca : Qu'est-ce que tu veux dire ?

Je me suis mordu la lèvre inférieure en réfléchissant à une façon polie de reformuler.

Marianne (en se pointant dans le gymnase, un grand sourire aux lèvres) : Qu'elle va avoir l'air *cheap* et vulgaire.

Bianca : Tiens, salut, Marianne ! On t'attendait justement. Peux-tu m'aider à faire comprendre à Léa que ces souliers s'agencent parfaitement avec son maillot ?

Marianne : Je pense que Léa a raison. Elle a un visage trop doux et angélique pour enfiler ça. Je la verrais plutôt avec des *running* colorés et des bas aux genoux. Ou des *leg warmers*.

Je ne sais pas ce qui me surprenait le plus : que Marianne me donne raison ou qu'elle me complimente au lieu de me comparer à un aliment en état de putréfaction.

Bianca (en réfléchissant) : Hum, tu n'as peut-être pas tort. C'est une déformation professionnelle ; en Californie, j'avais l'habitude de travailler avec des mannequins qui mesuraient près de six pieds. Ne le prends surtout pas mal, Léa, mais je n'ai pas la coutume de gérer des filles qui mesurent trois pommes.

Moi : C'est correct. Tes assistantes m'ont habituée aux analogies alimentaires douteuses.

Bianca m'a regardée en haussant un sourcil.

Marianne (en tapant des mains) : Bon, mais maintenant que je suis là, est-ce qu'on peut commencer ?

Bianca : Bien sûr ! Léa, tu vas te mettre en arrière et quand le *beat* va commencer, je veux que tu fasses six pas vers la gauche en te déhanchant comme une déesse.

Moi (en me plaçant là où elle me l'avait indiqué) : Euh, OK.

La musique a commencé.

Sophie : OK, c'est le *cue*. Vas-y, *Léna*.

J'ai froncé les sourcils avant de m'avancer comme elle me l'avait indiqué.

Lydia (en coupant la musique) : À gauche, Léa. Pas à droite.

Moi (en reprenant rapidement ma place) : Oups.

Sophie : Et où est le déhanchement ?

Moi (en m'efforçant de faire vaciller mes hanches) : Euh, ici ?

Lydia et Sophie ont ri en me faisant de l'attitude.

Marianne (en se postant à côté de moi) : *Come on*, les filles ! Aidez-la au lieu de faire vos *bitchs*.

Je l'ai dévisagée en écarquillant les yeux. Pourquoi était-elle si gentille avec moi ?

Marianne (en posant ses mains sur mes hanches) : Fais juste accentuer un peu ta démarche. On ne veut pas que tu aies l'air de danser la salsa ; on aimerait simplement que tu sois déterminée et confiante.

Bianca : Je pense que ça aiderait Léa de voir ce que vous attendez d'elle. Marianne, comme tu connais déjà la chorégraphie par cœur, peux-tu l'enchaîner à sa place ? Sophie et Lydia, profitez-en pour répéter vos pas de danse.

Je me suis installée à côté de Bianca et j'ai observé Marianne se déplacer d'un bout à l'autre du *stage* en tournoyant, en envoyant des clins d'œil au public imaginaire et en effectuant quelques pas avec « les tigresses ». Elle avait un talent naturel sur scène et sa présence me faisait sentir non pas comme un léopard potelé, mais plutôt comme un hippopotame malhabile.

Bianca (en arrêtant la musique et en applaudissant) : Super, Marianne ! Tu as aidé Léa à visualiser ses déplacements. Allez ! C'est à ton tour, ma chérie ! Montre-nous ce que tu sais faire !
Moi (en rougissant) : Je... Je ne peux pas. Je suis trop nulle.

Marianne s'est alors plantée devant moi et m'a regardée droit dans les yeux en me tenant par les épaules.

Marianne : Tu n'es pas nulle. Il faut simplement que tu apprennes ton enchaînement et que tu gagnes un peu d'assurance. Le reste viendra tout seul avec la pratique.
Moi (perplexe) : Euh, OK.
Marianne : Je sais que tu es capable, Léa Olivier !

C'était la première fois en trois ans qu'elle prononçait mon nom sans se moquer.

Moi : Et moi, je crois que le résultat serait beaucoup plus satisfaisant si tu prenais ma place.
Lydia : Je suis d'accord, mais Marianne ne rentrera jamais dans ton maillot de naine.
Marianne (en attachant sa longue crinière en chignon sur le dessus de sa tête) : Les filles, arrêtez de vous acharner

sur Léa. Ça n'aide pas sa confiance et ça ne fait pas avancer notre chorégraphie.

Bianca (en frappant des mains) : Marianne a raison. On a besoin d'un bon esprit d'équipe.

Marianne (en me prenant de nouveau par les épaules) : Ne fais pas attention à elles. *You're a queen !*

Moi : Hein ?

Marianne (en souriant) : Dans les petits pots, les meilleurs onguents !

Moi : Je t'avoue qu'en ce moment, je me sens aussi sexy qu'une bouteille de Pepto Bismol.

Elle a éclaté de rire.

Marianne : Oli a raison : tu es vraiment la fille la plus drôle de la planète !

Le mystère était résolu. Je m'attirais les bonnes grâces de Marianne parce qu'elle savait que ça améliorerait ses chances de conquérir Olivier.

Bianca : Allez ! On enchaîne, les filles ! Il ne nous reste qu'une heure avant de rejoindre Alex.

J'ai passé les soixante minutes suivantes à me faire encourager par Bianca et à me faire diriger par une Marianne souriante et lèche-botte. Leurs efforts et leur renforcement positif ne m'ont toutefois pas empêchée de trébucher partout comme un bébé chihuahua.

Quand la répétition a pris fin, nous nous sommes dirigées vers la salle de billard où se tenait la fête d'Alex.

Bianca (en courant vers Alex et en lui sautant au cou) : Bonne fête, mon bébé chou !

J'ai détourné la tête pour dissimuler ma face de dégoût.

Oli (en s'approchant de moi, le sourire aux lèvres) : Je t'ai vue !
Moi (en chuchotant) : « Mon bébé chou » ? Sérieusement ?
Oli (en riant) : Je peux t'appeler « mon gros kale » si ça peut te consoler.

Je lui ai donné une bine et il a éclaté de rire.

Oli : Alors, comment s'est passé l'enchaînement ?
Moi : Mal. Je me déplace avec l'élégance d'un rhinocéros en béquilles et je me sens aussi sexy qu'un poisson visqueux.

Mon regard a alors croisé celui de Katherine, qui m'a envoyé un petit sourire triste qui n'a pas échappé à Olivier.

Oli : As-tu le droit de m'adresser la parole ?

Moi : Ben oui, niaiseux. Katherine sait qu'on est amis.

Oli : Ce serait tellement plus simple si elle me pardonnait.

Moi : Ça va venir, Oli.

Oli : Et en attendant ?

Moi : Tu continues de vanter mes qualités à Marianne, qui a apparemment un gros *kick* sur toi.

Oli : Pourquoi tu dis ça ?

Moi : Parce qu'elle ne m'a jamais adressé la parole en deux ans et demi, à part pour me crier des insultes, alors qu'aujourd'hui, elle m'a traitée comme si j'étais sa *best*. Elle a même dit que j'avais un visage angélique. Peux-tu croire ça ?

Oli : Non.

Je lui ai donné une deuxième bine sur l'épaule.

Oli (en souriant) : Je pense que tu t'emballes. Marianne est une amie, mais je ne crois pas que je l'intéresse.

Moi : Qu'est-ce qui motiverait son changement d'attitude, alors ?

Oli : Je ne sais pas. Peut-être que la fin du secondaire lui fait réaliser que ça ne sert à rien d'intimider les autres ?

Moi (en le dévisageant) : Tu vis vraiment au pays des licornes, hein ? Les nunuches comme Maude et Marianne n'ont pas ce genre de prises de conscience. La rédemption est un concept qu'elles ne connaissent pas.

Olivier a alors été interpellé par José, et j'en ai profité pour aller me chercher une limonade.

Alex (en surgissant à côté de moi) : Salut, Rongeur !
Moi (en souriant) : Salut, Alex ! Alors, comment tu te sens ?
Alex : Mature et invincible au *pool*. D'ailleurs, me ferais-tu l'honneur de jouer une partie avec moi ?
Moi : C'est gentil de l'offrir, mais je déteste vraiment le billard. Je ne suis ici que pour toi.
Alex : Wow. C'est tout un honneur, ça !

J'ai souri.

Bianca (de loin) : Alex, c'est à ton tour de jouer !
Moi : Je te souhaite de faire rentrer la boule noire.
Alex (en souriant) : Si je fais ça maintenant, je perds la partie.
Moi : Tu vois ? Je serais la pire coéquipière du monde !
Alex : Je reviens tout de suite, Poil de Maïs.

Il s'est éloigné et Maude s'est empressée de prendre sa place à mes côtés.

Maude (en désignant Alex du menton) : Il a toujours eu une réputation qui le précédait, mais je t'avoue que ça m'impressionne de le voir à l'œuvre.
Moi : De quoi tu parles, Maude ?

Maude : D'Alex, tête d'épingle !

Moi (en soupirant) : Tes observations ne m'intéressent pas.

Maude : Tu vas me faire croire que la rumeur qui court à propos de lui ne te fait pas souffrir ?

Moi : Premièrement, je ne sais pas de quoi tu parles. Et deuxièmement, je ne me fie pas aux ragots de l'école.

Maude : Ce n'est pas un potin, tête de noix. Je sais de source sûre que ton beau Alex a couché avec Bianconne.

Mon cœur s'est arrêté de battre. Maude s'est avancée à quelques centimètres de mon visage.

Maude : Pauvre Léna. Toi qui rêvais de perdre ta virginité avec lui...

Moi (incapable de contenir ma colère) : Laisse-moi tranquille, Maude !

Maude (en levant les bras) : Relaxe, la rejet ! C'est toi qui m'as suppliée de te dire la vérité.

Elle a alors désigné Bianca, qui était appuyée contre la table de billard et qui riait d'une blague d'Alex.

Maude : Tu vas me faire croire que tu ne sens pas la tension entre eux ?

Moi (en détournant le regard) : Ce n'est ni de mes affaires ni des tiennes.

Maude (en plissant les yeux) : Au contraire. Je pense qu'il était temps que tu réalises qu'aux yeux d'Alex, tu ne seras toujours qu'un écureuil déchu.

Elle a fait virevolter ses cheveux avant de rejoindre sa gang de nunuches. J'ai quant à moi fermé les yeux pour chasser les larmes qui montaient.

Tu vas me dire que Maude a sans doute inventé cette histoire de toutes pièces pour me faire du mal, mais une partie de moi sentait que ce n'était pas le cas.

Jeanne (en surgissant à côté de moi) : Ça va ? Tu es un peu blême.

Moi : C'est l'effet des nunuches.

Jeanne (en fronçant les sourcils) : Bon, qu'est-ce qu'elles ont fait, encore ?

Moi (en chuchotant) : Maude m'a dit qu'Alex avait couché avec Bianca.

Jeanne : Et tu l'as crue ?

Moi : Pourquoi est-ce qu'elle me mentirait ?

Jeanne : Parce qu'elle carbure aux mélodrames et aux fausses rumeurs !

Moi (en secouant la tête) : Elle avait raison quand elle m'a parlé du baiser.

Jeanne : Léa, tu devrais te balancer de tout ça.

Moi : De Maude ou du potin ?

Jeanne : Des deux.

Moi : Je ne sais pas si j'en suis capable, Jeanne. L'idée qu'ils aient fait ça me rend malade.

Jeanne : Alors n'y pense pas ! Évite de te torturer et mets toute cette histoire derrière toi.

Moi (en acquiesçant sans grande conviction) : Je vais essayer.

Jeanne : Veux-tu qu'on aille prendre l'air ?

Moi : Il vaut mieux que je rentre.

Jeanne : Tu m'appelles demain ?

Moi (en l'embrassant sur la joue) : Promis.

J'étais en train d'enfiler mon manteau quand Éloi s'est approché.

Éloi : Tu rentres déjà ?

Moi : Oui. La journée a été longue.

Éloi : Je te raccompagne au métro. J'ai rendez-vous avec Félix dans un bar.

Moi (en le questionnant du regard) : Votre *bromance* bat toujours son plein ?

Éloi (en riant) : Surtout depuis que Sandrine est dans les parages.

Alex s'est alors joint à nous.

Alex : Eille ! Qu'est-ce que vous faites ?

Éloi (en lui tendant la main) : Il faut que je parte. J'ai une *date*. Désolé, *man*.

Alex (en me dévisageant, visiblement déçu) : Et toi, Rongeur ? Tu viens à peine d'arriver !

Moi (sans réfléchir) : J'ai un rendez-vous, moi aussi.

Alex (en haussant un sourcil) : Galant ?

J'ai eu une vision de lui et Bibi enlacés devant un coucher de soleil. J'ai grimacé.

Moi (en ignorant sa question) : *Bye*, Alex. Bonne fête encore !

Je suis sortie en vitesse et Éloi a couru derrière moi.

Éloi (en mettant sa tuque) : Léa, attends ! Qu'est-ce qui se passe ? Pourquoi t'es partie comme ça ?

Moi : Pour rien. Je pense que je couve quelque chose.

Éloi : Tu sais que tu peux me dire la vérité, hein ?

Moi : Oui, mais je n'ai pas trop envie d'en parler.

Éloi : OK. Mais je suis là si tu changes d'idée.

On a marché en silence pendant quelques instants, puis Éloi a éclaté de rire. Je l'ai regardé d'un air perplexe.

Éloi : Cette température me fait penser à la fois où j'avais décidé de te faire braver le froid pour te surprendre.

Moi : Tu parles de la fameuse journée où j'avais dû marcher dix-huit kilomètres avec mes nouveaux souliers qui me donnaient des ampoules ?

Éloi : Exact. C'est là que j'ai réalisé que tu ne serais probablement jamais ma partenaire de randonnée !

Moi (en trébuchant sur un banc de neige et en me retrouvant sur les fesses) : Je ne vois vraiment pas de quoi tu parles.

On a éclaté de rire. Ça faisait du bien de me changer les idées.

Une fois rentrée chez moi, je n'ai pu m'empêcher de consulter les photos de la fête d'Alex qui avaient été publiées sur Instagram et Facebook. Alex qui souriait. Alex qui chantait. Alex qui soufflait les bougies de son gâteau. Alex qui n'avait aucune idée qu'il venait une fois de plus de me piétiner le cœur.

Une fois de trop, me suis-je dit en ouvrant mon Messenger.

Salut, Robin ! Si l'offre tient toujours, je serais prête à renégocier ton contrat bientôt. Donne-moi des nouvelles la semaine prochaine ! Léa xx

J'ai souri, satisfaite, puis j'ai éteint mon cellulaire et mon ordi. Il valait mieux me tenir loin des réseaux sociaux, si je voulais rester saine d'esprit. J'ai donc passé le reste de ma fin de semaine collée à mes parents. On a cuisiné, fait le ménage, regardé des films et j'ai même réussi à battre Félix à la console.

Et là, je dois malheureusement regagner le monde des humains et me rendre à l'école.

Écris-moi vite, j'ai hâte d'avoir de tes nouvelles !
Léa xox

Chapitre 3 :
Impasse et princesse Léa

Mercredi 20 janvier

20 h 11

Marilou (en ligne): Léa? Je suis là!

20 h 11

Léa (en ligne): Enfin! Je commençais sérieusement à m'inquiéter!

20 h 11

Marilou (en ligne): Je sais. Je suis désolée d'avoir ignoré tes textos, mais j'avais besoin de fuir mes problèmes de couple et ma vie pendant quelques jours. J'ai donc décidé d'éteindre mon cellulaire et d'accompagner ma mère en voyage d'affaires à Québec. On avait congé lundi et mardi, alors ça tombait super bien.

20 h 12

Léa (en ligne): Je te comprends tellement! Moi, je commence à peine à reprendre contact avec la réalité.

20 h 12

Marilou (en ligne): Des nouvelles de Robin ?

20 h 12

Léa (en ligne): Il m'a appelée trois fois, mais je n'ai pas répondu. Sérieux, qui se sert encore du téléphone pour parler de vive voix ? C'est ben trop gênant de gérer une conversation *live* ! Il ne peut pas me texter, comme tout le monde ?

20 h 12

Marilou (en ligne): Ha ! Ha ! Il veut sûrement être bien sûr de te joindre et éviter que tu te défiles.

20 h 13

Léa (en ligne): Ce n'est pas en essayant de le faire de façon préhistorique que ça va fonctionner !

20 h 13

Marilou (en ligne): Tu n'as qu'à lui répondre par texto et il va comprendre le message.

20 h 13

Léa (en ligne): Je ne suis vraiment pas certaine que ça me tente, Lou. L'autre soir, je l'ai principalement contacté par orgueil, mais maintenant que la poussière est retombée, on dirait que ma motivation s'est envolée en fumée.

20 h 13

Marilou (en ligne): Si c'est de stimulation dont tu as besoin, j'ai exactement ce qu'il te faut.

20 h 14

Léa (en ligne): C'est-à-dire?

20 h 14

Marilou (en ligne): Je vais te rédiger un plan d'action pour oublier Alex.

20 h 14

Léa (en ligne): Je croyais qu'on avait déjà fait le tour de la question pendant les fêtes.

20 h 14

Marilou (en ligne): Ouais, mais je vois bien que la stupide rumeur de Maude t'a affectée plus que tu ne veux l'admettre et que la rechute te guette.

20 h 15

Léa (en ligne): Pff. Je me trouve tellement pathétique, Lou. Je te jure que s'il existait un bouton pour me le sortir de la tête et du cœur, j'appuierais dessus sans hésiter.

20 h 15

Marilou (en ligne): Tu n'es pas pathétique, Léa. Tu es humaine. Et je suis là pour t'aider à remonter la pente.

Léa (en ligne): Merci, Lou. Je ne sais pas ce que je ferais sans toi.

20 h 16

Marilou (en ligne): Bah, ça me fait du bien de me concentrer sur tes problèmes. Ça m'évite de penser aux miens! 😉 Et pour en revenir à Robin, c'est essentiel que tu entretiennes la flamme.

20 h 16

Léa (en ligne): J'appellerais plus ça une étincelle.

20 h 16

Marilou (en ligne): Peu importe. Jeanne et Katherine ont raison: tu as besoin de lui pour chasser l'autre de tes pensées. Parce qu'au rythme où tu vas, tu en as pour dix à quinze ans.

20 h 17

Léa (en ligne): OK, OK, j'ai compris. Je vais lui répondre. Et toi? As-tu des nouvelles de JP?

20 h 17

Marilou (en ligne): Non. Je l'ai texté pour l'aviser que je partais à Québec, que je l'aimais et que je voulais vraiment qu'on se parle à mon retour. Et comme je préfère régler ça en personne, je pense me pointer chez lui demain après l'école.

20 h 17

Léa (en ligne): Et qu'est-ce que tu vas lui dire?

20 h 18

Marilou (en ligne): Que j'ai été vraiment niaiseuse de lui parler comme ça devant tout le monde. Que même si c'est vrai qu'une partie de moi panique, j'ai envie de partager ça avec lui au lieu de le rejeter et de l'humilier publiquement. Et que je m'excuse.

Léa (en ligne): C'est parfait. Je suis sûre que ça va s'arranger, Lou.

Marilou (en ligne): Et toi ? Comment tu t'en sors à l'école ?

Léa (en ligne): Je me noie dans les projets et les réunions pour éviter de penser à la rumeur. Lundi, j'ai rencontré Éloi et Éric pour le journal. Hier, j'avais un rendez-vous avec Annie-Claude pour discuter du menu et de l'après-bal, et aujourd'hui, j'ai passé tout mon temps libre à établir une stratégie avec Jeanne pour notre prochaine collecte de fonds pour le voyage en France. L'avantage de m'être impliquée dans tout, c'est que j'ai beaucoup moins de temps pour penser à ma vie et à mes soucis.

20 h 19

Marilou (en ligne): Et Alex? Comment il agit avec toi?

20 h 19

Léa (en ligne): Il est un peu distant. Je pense qu'il est vexé que je sois partie aussi vite de sa soirée d'anniversaire.

20 h 19

Marilou (en ligne): Argh, je dois déjà te laisser. Steph est en train de m'appeler sur Skype pour terminer notre travail de français.

20 h 20

Léa (en ligne): OK, mais tu me promets de me donner des nouvelles dès que tu auras parlé à JP?

20 h 20

Marilou (en ligne): Promis.

Léa (en ligne): Et tu ne feras plus de fugue à Québec sans me prévenir ?

Marilou (en ligne): Juré.

Léa (en ligne): Et tu viendras me visiter pendant la relâche comme prévu ?

Marilou (en ligne): Craché.

Léa (en ligne): Super.

Marilou (en ligne): Et toi, tu me promets de te tenir loin d'Alex ?

20 h 21

Léa (en ligne): Promis.

20 h 21

Marilou (en ligne): Et de te changer les idées?

20 h 21

Léa (en ligne): Juré.

20 h 21

Marilou (en ligne): Et de répondre à Robin?

20 h 21

Léa (en ligne): Craché.

20 h 21

Marilou (en ligne): Je t'aime! xx

À : Léa_jaime@mail.com
De : Jeanneditoui@mail.com
Date : Vendredi 22 janvier, 17 h 19
Objet : Tu survis ?

Salut, Léa !

J'ai appris par Éloi, qui a parlé à ton frère, que tu as attrapé une vilaine grippe et que c'est pour ça que tu n'es pas venue à l'école aujourd'hui. Est-ce que tu survis ? Fais-moi signe si tu veux que je passe chez toi. Je mettrai un masque pour éviter d'être contaminée !

Ça t'aura au moins permis d'éviter le test-surprise en sciences. Je te dirai quoi étudier pour ta reprise.

Je t'écris pour te relater la scène irréelle que j'ai vécue avec Alex, Éloi et Maude aujourd'hui.

J'étais en file à la cafétéria quand Alex s'est faufilé devant moi.

Moi : Eille ! Ce n'est pas super poli pour les gens derrière moi de dépasser !

Alex (en souriant) : L'un de mes privilèges de président et de finissant, c'est de pouvoir m'imposer auprès des plus jeunes.

Moi : Je pense que ton élection a officiellement atteint ton cerveau.

Il a ri.

Alex : Jeanne ? Est-ce qu'on est encore amis ?

Moi (en souriant) : Ben oui. Pourquoi tu me demandes ça ?

Alex : Je ne sais pas. Après le discours que tu m'as fait le soir du jour de l'An et avec l'attitude de Léa, je commençais à avoir des doutes.

Moi : Ce qui se passe entre Léa et toi, ce n'est pas de mes affaires. Et si je t'ai parlé dans le casque, c'est parce que ta nonchalance me tapait sur les nerfs et que j'étais en colère contre la gent masculine.

Il s'est mordu la lèvre inférieure avant de poursuivre.

Alex : Et, euh, est-ce que tu as parlé de tout ça à Léa ?

Moi (en jouant l'innocente) : De quoi ?

Alex : De ce que tu m'as dit. Genre de ce que tu penses que je ressens pour elle.

Moi : Non. Pourquoi ?

Alex (en haussant les épaules) : Je me suis dit que c'était peut-être pour ça qu'elle me fuyait comme si j'étais une plaie pustuleuse.

Moi : Qu'est-ce que tu veux dire ?

Alex : Que son attitude distante était peut-être une façon de me faire comprendre qu'elle ne voulait rien savoir de moi.

Moi : Et est-ce que tu voudrais que ce ne soit pas le cas ?

Alex (avec des yeux de truite) : Quoi, ça ?

Moi : Est-ce que tu aimerais que ce que tu penses que j'ai dit à Léa soit en fait une bonne nouvelle pour elle ?

Alex (toujours aussi perdu) : Je ne comprends rien.

J'ai soupiré.

Moi : Qu'est-ce que tu attends d'elle, Alex ?

Alex : Je te l'ai déjà dit. J'aimerais simplement qu'elle arrête de me traiter comme une vieille crotte de nez et qu'elle daigne passer plus de cinq minutes à ma fête.

Moi : Je pense que tu interprètes mal son attitude, Alex. Léa est simplement débordée.

Alex : *Bullshit*. La preuve, c'est que ça ne l'empêche pas de passer du temps avec vous ni de fréquenter ses nouveaux amis du cégep.

Moi (en soupirant) : Tu ne crois pas que ce serait plus simple si vous vous expliquiez une fois pour toutes ?

Alex (agacé) : J'ai essayé, mais elle s'arrange toujours pour se défiler. Je ne vais quand même pas la supplier d'être mon amie.

Bianca est passée tout près, et Alex s'est faufilé derrière moi.

Moi (surprise) : Euh, qu'est-ce que tu fais ?

Alex : Je me cache de Bibi.

Moi : Pourquoi ?

Alex (en chuchotant) : Parce qu'elle va me forcer à aller courir dans la neige.

Moi : Eille, tu aurais vraiment besoin d'un cours en communication, toi !

Alex (en se redressant après s'être assuré que Bibi n'était plus dans les parages) : Ça veut dire quoi, ça ?

Moi : Que tu pourrais simplement dire à Bianca tu hais le jogging au lieu de te cacher entre mes jambes !

Alex (en haussant les épaules) : Je sais, mais je n'ose pas. Son entraînement pour le triathlon lui fait du bien, et je sais qu'elle aime que je l'accompagne, car ça lui permet de se confier. Elle ne le laisse pas paraître, mais elle *rushe* vraiment à cause de José.

Moi : Ça n'a pas abouti, hein ?

Alex : *Nope.* Il a *pullé* un Martinez.

Moi (perplexe) : Qu'est-ce que tu veux dire ?

Éloi s'est alors faufilé devant nous et a interrompu notre conversation. Des gens derrière nous se sont aussitôt mis à huer.

Moi : Éloi, franchement ! Ça n'a pas de classe de dépasser comme ça !

Éloi (en faisant un sourire désolé aux autres élèves) : Je sais, mais je suis déjà en retard pour ma réunion avec Annie-Claude. Elle veut que je l'aide à choisir le format de l'invitation du bal.

Maude (qui passait devant nous pour se chercher des serviettes de table) : PARDON ?

Éloi (en rougissant) : Euh. Rien.

Maude (en se rapprochant de lui, les mains sur les hanches) : Qu'est-ce que tu viens de dire, le *nerd* ?

Moi (en roulant les yeux) : Tu as bien compris, Maude. Éloi va aider Annie-Claude pour l'invitation officielle du bal.

Maude (avec une face de dégoût) : Et pourquoi il se mêle de nos affaires, lui ? Il ne fait même pas partie du comité !

Éloi (en soupirant) : Je ne fais que rendre un service à une amie, Maude.

Maude : Je ne vois pas en quoi ton opinion de *loser* est pertinente !

Elle s'est alors empressée d'aller chercher Annie-Claude qui passait près de là tandis qu'Éloi payait son dîner et qu'Alex et moi suivions le spectacle des yeux.

Maude (en tirant Annie-Claude jusqu'à nous et en hurlant de colère) : C'est quoi, l'affaire ? Pourquoi tu demandes à cette tête de nœud de t'aider à choisir le format de l'invitation au lieu de me consulter ?

Annie-Claude (d'un ton calme, mais ferme) : Parce que je suis la présidente et que je peux faire ce que je veux.

Maude (en faisant claquer sa langue) : Es-tu sérieuse, Marie-Paul ?

Annie-Claude : Mon nom est Annie-Claude.

Maude : Même affaire !

Annie-Claude : Alors oui, je suis sérieuse, *Manon*.

Maude a plissé le nez. La fumée était sur le point de lui sortir des oreilles.

Annie-Claude (en essayant de garder son calme) : J'ai demandé à Éloi de m'aider parce que c'est une tâche qui me revient. Toi, tu t'occupes de la gestion de l'hôtel et de l'après-bal avec Léa.

Maude : Mais ça n'a aucun sens ! Tu pourrais consulter ton comité plutôt que de demander l'avis d'un mangeur de tofu et amateur de chemises à carreaux !

Éloi (en perdant patience) : Tu veux savoir pourquoi elle me demande d'intervenir, Maude ? Parce que Léa est absente, que le reste de son comité semble se foutre complètement des tâches à exécuter et qu'elle n'a aucune envie de travailler avec toi, CAR TU ES UNE PESTE !

Il a hurlé ces derniers mots. Il y a eu un moment de silence dans la cafétéria, suivi de quelques chuchotements. Je crois qu'en cinq ans, personne n'avait jamais osé parler aussi franchement à Maude, à part toi.

J'ai retenu mon souffle.

Maude a quant à elle pris une grande inspiration avant de s'approcher à quelques centimètres du visage d'Éloi. J'avais peur qu'elle le gifle ou qu'elle lui saute au visage. J'ai alors entendu une chaise grincer. José s'est levé et a couru jusqu'à nous.

José (en se postant devant Maude) : C'est assez, Éloi ! *No vas a hablar a mi mujer de esta forma !*
Éloi : Je me fous de ce que tu racontes, José. Je ne me laisserai pas insulter sans réagir !

José (en retroussant ses manches) : Je pense qu'on devrait régler ça de *hombre a hombre*.
Éloi : Je ne vais pas me battre avec toi si c'est ce que tu insinues.
Alex (en essayant de calmer les ardeurs de José) : Relaxe, *man*.
José (en s'adressant à Alex) : *Bro*, comment veux-tu que je relaxe quand je sens que la femme que j'aime ne veut plus rien savoir de moi parce que j'ai agi comme un *cabron* et quand le *nerd* lui manque de respect ?

Alex : Vos drames vous appartiennent, *bro*, mais la violence n'est pas la solution.

Maude, qui était restée muette jusque-là, s'est alors tournée vers José.

Maude (en plissant les yeux) : Je n'ai pas besoin de toi pour me défendre contre le *loser* à lunettes.

José : Je sais, *amor*, mais je ne peux quand même pas rester les bras croisés quand quelqu'un t'attaque. C'est mon travail de te protéger.

Maude : Ce n'est plus ta *job*. Tu es renvoyé.

J'ai jeté un coup d'œil autour de moi. Tous les élèves et employés de la cafétéria assistaient au feuilleton amoureux que Maude et José nous jouaient en direct.

José (en prenant son rôle très au sérieux) : Je ne peux pas arrêter de te défendre. C'est un instinct, *amor*. C'est impossible à contrôler. Tout comme c'est impossible d'arrêter de t'aimer.

Maude (en soupirant) : Arrête, José. On ne traite pas les gens qu'on aime de cette façon.

José : *Ya sé, amor*. C'est toi qui m'as enseigné ça. Tu es tout pour moi. Je sais que je m'arrange souvent pour te faire de la peine ou pour ruiner ce qu'on a, mais tu sais que ce sabotage est lié à la force de mon amour pour toi. Personne d'autre ne compte à mes yeux. *Eres mi flor y mi luz.* Je t'aime. *Te amo.* S'il te plaît, pardonne-moi, je ne suis plus rien sans toi.

Maude a jeté un petit coup d'œil en ma direction. Je savais que le côté sain de sa personnalité, celui qui nous a déjà permis d'être amies, lui ordonnait de ne pas se rembarquer dans cette histoire et me suppliait d'intervenir pour que je l'empêche de le faire, mais je ne voulais plus me mêler de ses affaires.

C'est peut-être vraiment naïf, mais une partie de moi espérait qu'elle lui tienne enfin tête. J'ai évidemment eu tort.

Maude : Je ne veux plus jamais que tu me fasses de mal.
José (en s'approchant d'elle) : Je te promets de te traiter *como una princesa.*
Maude : Ce n'est pas la première fois que tu me dis ça.
José : Je sais, mais je n'ai jamais été aussi sérieux. Je ne peux pas vivre sans toi, Maude. Tu es la seule qui connaît mon âme. Peux-tu me donner une autre chance, s'il te plaît ?
Maude : Non. Oui. Je ne sais pas.
José (en se mettant à genoux devant elle et en la suppliant avec les mains) : Devant toute l'école, je te demande pardon. J'aimerais que tu redeviennes *mi chica*, Maude. *Te amo.*

Maude (en lui souriant) : Moi aussi, je t'aime.

Il s'est alors relevé d'un bond, lui a pris le visage des deux mains et l'a embrassée passionnément. Il a évidemment fait exprès pour le faire à deux centimètres du visage d'Éloi.

Les gens se sont mis à siffler et le brouhaha de la cafétéria a repris.

Alex (en les observant) : Wow. J'ai l'impression d'assister aux *Feux de l'amour*.
Moi : Mets-en !

Annie-Claude a alors tiré Éloi vers elle pour le sortir de sa position inconfortable.

Annie-Claude : Viens. On a des choses plus importantes à régler.
Maude (en interrompant son *french* et en défiant Éloi du regard) : En passant, le *nerd*, je ne t'oublie pas. Personne ne me parle sur ce ton.

Éloi s'est esclaffé.

Éloi : J'ai déjà peur.

Il est parti en secouant la tête d'un air découragé.

Moi (en me dirigeant vers une table) : Penses-tu que leur histoire tiendra jusqu'au bal ?

J'ai alors réalisé que je parlais toute seule et qu'Alex était resté planté près de la caisse de la cafétéria. J'ai déposé mon plateau et j'ai marché vers lui en claquant des doigts.

Moi : Allo ? Alex ? Ça va ?

J'ai suivi son regard et j'ai aperçu Bianca, qui était postée près de la porte de la cafétéria. Elle était blême comme un drap. Elle avait les yeux rivés sur José et Maude, qui s'embrassaient toujours à pleine bouche. Elle a ensuite déguerpi dans le couloir en retenant un sanglot.

Moi : Oups. Crois-tu qu'elle a assisté à toute la scène ?
Alex : À voir sa tête, je pense que oui.
Moi : Elle était si amoureuse que ça ?
Alex : C'est plus compliqué que tu penses...

Il a soupiré avant de poursuivre.

Alex : Garde ça pour toi, mais en décembre, il s'est passé quelque chose entre elle et José.
Moi : Tu veux parler de la scène dans le local d'anglais ? J'étais là, Alex, et je te jure qu'elle lui a résisté. Sa loyauté m'a d'ailleurs surprise.

Alex : L'histoire ne s'est pas arrêtée là.

Moi : Qu'est-ce que tu veux dire ?

Alex : C'est ce que j'essayais de te raconter tantôt. Juste avant Noël, José a continué de pourchasser Bianca en lui faisant croire qu'il avait cassé avec Maude, ce qu'il n'avait évidemment toujours pas fait, et qu'il ne l'aimait plus, ce qui n'était évidemment pas vrai. Même si Bibi était encore un peu offusquée par son attitude macho, il a fini par la convaincre de l'accompagner au cinéma à grands coups de fleurs et de chansons quétaines. Ce soir-là, ils se sont finalement embrassés et ils se sont dit qu'ils s'aimaient. Bianca était sur un nuage. Elle était certaine que José était officiellement son chum.

Moi : Ce qui n'était évidemment pas le cas ?

Alex : *Nope*. Le lendemain matin, Maude est apparue chez José pour lui dire qu'elle savait tout et qu'elle ne lui pardonnerait jamais. José aurait pu saisir l'occasion pour officialiser sa relation avec Bibi, mais il a plutôt décidé de changer d'idée et de recommencer à courir après Maude.

Moi : Ouin. C'est très ordinaire, mais pas super étonnant dans le cas de José. Et qu'est-ce qu'il a dit à Bianca, au juste ?

Alex : Rien. Il ne lui a plus jamais redonné de nouvelles, et il a complètement ignoré ses textos et ses appels.

Moi : Ouach ! C'est tellement *cheap* ! Il aurait au moins pu avoir la décence de s'expliquer avec elle !

Alex : Je sais. Pas besoin de te dire que ça m'a vraiment déçu de lui. C'est une chose qu'il entretienne une relation complètement malsaine avec Maude, mais c'en est une autre de blesser gratuitement l'une de mes meilleures amies.

Moi : Je comprends.

Alex : J'ai passé le reste des vacances à essayer de remonter le moral de Bianca.

Moi (pince-sans-rire) : En l'embrassant encore ?

Alex (en haussant les épaules et en esquissant un petit sourire) : C'est apparemment un remède très efficace contre les peines d'amour.

Je voulais profiter de son ouverture pour lui poser plus de questions indiscrètes, mais il m'a interrompue sur ma lancée.

Alex : Est-ce que ça te dérange si je la rejoins ? Je pense qu'elle a besoin de moi, en ce moment.

Moi : Je comprends. Vas-y.

Il est parti et Kath m'a retrouvée une dizaine de minutes plus tard. Elle m'a alors raconté que le comité du défilé et elle étaient en pleine réunion quand quelqu'un est venu leur dire que la saga José-Maude battait son plein dans la cafétéria. C'est là que Bianca a décidé de venir voir ce qui se passait.

Comme tu vois, les drames surviennent même quand tu n'es pas là !

J'espère que tu vas mieux ! Appelle-moi demain si tu es assez en forme pour faire quelque chose !

Jeanne xox

📱 **23-01 13 h 17**

Salut, monsieur Des Bois.

📱 **23-01 13 h 17**

Léa Olivier? Je n'y croyais plus! Surtout après toutes mes tentatives d'appels.

📱 **23-01 13 h 17**

Je suis désolée! La sonnerie de mon cellulaire est toujours fermée.

📱 **23-01 13 h 18**

Est-ce un bon moment pour te parler? Je peux t'appeler tout de suite, si tu veux!

📱 **23-01 13 h 18**

Je préfère pas.

📱 **23-01 13 h 18**

Pourquoi?

📱 **23-01 13 h 18**

J'aime mieux qu'on communique par textos.

📱 **23-01 13 h 19**
....

Il me semble que c'est plutôt impersonnel, non?

📱 **23-01 13 h 19**
....

Au contraire. C'est bien plus facile de se confier comme ça que de vive voix.

📱 **23-01 13 h 19**
....

Wow. Je ne m'attendais pas à ce que tu me fasses des confidences aussi vite. Vas-y, je suis tout ouïe.

📱 **23-01 13 h 20**
....

C'est une façon de parler...

📱 **23-01 13 h 20**
....

Tu vois bien que les textos sont source de malentendu! La solution, ce serait de se parler face à face. D'autant plus que j'ai besoin de toi pour donner un sens à ma carrière d'artiste.

📱 **23-01 13 h 20**
....

Pff. Pas avec ton nom. Tu es une star née!

📱 **23-01 13 h 21**
....

Non. J'ai besoin de toi pour briller.

📱 **23-01 13 h 21**
....

Wow. Beau jeu de mots...

📱 **23-01 13 h 21**
....

C'est toi qui m'inspires. Tu es de la poésie à mes oreilles.

📱 **23-01 13 h 21**
....

Arrête! Je rougis derrière mon cellulaire.

📱 **23-01 13 h 22**
....

Sans blague, je pense à toi depuis plus de deux semaines. Crois-tu qu'on pourrait se voir ce soir?

📱 **23-01 13 h 22**
....

Je ne peux pas. J'ai attrapé une grosse grippe, et je ne voudrais surtout pas te contaminer.

📱 **23-01 13 h 22**
....

Pff. Ce n'est pas un petit virus qui va m'empêcher de revoir la plus belle femme du monde.

📱 **23-01 13 h 23**

Hum. Crois-moi, si tu me voyais dans mon linge mou avec mon nez rouge et mes yeux bouffis, tu me trouverais pas mal moins *cute*.

📱 **23-01 13 h 23**

Impossible.

📱 **23-01 13 h 23**

Je ne veux pas péter ta bulle, Robin, mais je pense que tu t'es fait une fausse image de moi. C'est peut-être parce qu'on s'est rencontrés le soir du jour de l'An et que ma meilleure amie avait fait de l'art plastique avec mon visage.

📱 **23-01 13 h 24**

Et moi, je pense que tu te sous-estimes. Tu dégages un charme et une énergie incroyables. La preuve, c'est que tu m'as ensorcelé dès les premières secondes où tu es entrée dans le club.

📱 **23-01 13 h 24**

Je crois que tu me confonds avec la fille qui mesurait sept pieds et qui dansait derrière moi.

Ha! Le plus beau dans tout ça, c'est que tu n'es vraiment pas consciente de ta beauté. Et je ne parle pas juste de ton physique. Je fais aussi référence à ce que tu projettes comme lumière intérieure.

📱 **23-01 13 h 25**

Euh, merci, mais je pense sincèrement que si tu me croisais un mardi matin lorsque je ressemble à un caniche qui a enfoncé ses pattes dans une prise électrique, tu retomberais de ton nuage.

📱 **23-01 13 h 25**

Ha! Ha! Ha! Tu es vraiment la reine de l'autodérision!

📱 **23-01 13 h 25**

Et toi, le roi de l'intensité! 😉

📱 **23-01 13 h 25**

C'est toi qui me fais cet effet-là. Je te jure que je n'ai pas l'habitude d'être aussi direct avec mes sentiments, mais tu me plais vraiment, Léa. J'adore les grandes femmes qui ont de la répartie.

📱 23-01 13 h 25

Je t'avoue que du haut de mon mètre cinquante-cinq, je ne m'étais jamais perçue comme une « grande femme ».

📱 23-01 13 h 28

À mes yeux, tu es une femme-enfant, à la fois imposante et délicate.

📱 23-01 13 h 28

Il n'y a vraiment rien pour t'arrêter, hein ?

📱 23-01 13 h 28

Non. Tu me hantes, Léa Olivier !

📱 23-01 13 h 29

Mais tu me connais à peine !

📱 23-01 13 h 29

Et déjà, tu m'as ensorcelé. S'il te plaît, aie pitié de moi et accorde-moi la chance de te revoir pour apaiser mon manque de toi.

▣ 23-01 13 h 29

Euh, OK. Mais pas avant que je sois plus présentable.

▣ 23-01 13 h 29

Je suis sûr que tu es aussi fraîche qu'un ruisseau lors d'une chaude journée d'été.

▣ 23-01 13 h 30

Hum, je me comparerais plutôt à un citron flétri oublié dans le fond du frigo.

▣ 23-01 13 h 30

Et que dire de cette façon toute particulière que tu as de te décrire !

▣ 23-01 13 h 30

Ça, c'est parce qu'il vaut mieux en rire qu'en pleurer. Bon, je dois filer, moi...

▣ 23-01 13 h 30

Tu me quittes déjà ?

📱 23-01 13 h 31

Ouais. Je donne du tutorat en français à une fille du primaire et elle va arriver d'une minute à l'autre.

📱 23-01 13 h 31

Wow. Tu es généreuse, en plus du reste !

📱 23-01 13 h 31

Euh, pas tant.

📱 23-01 13 h 35

Ne sois pas si humble. Après tout, le tutorat est un véritable don de soi.

📱 23-01 13 h 31

Dans mon cas, c'est surtout une façon de financer un voyage scolaire en France au mois de mai.

📱 23-01 13 h 32

C'est génial, ça !

📱 23-01 13 h 32

Ouais, ç'a toujours été mon rêve de visiter Paris.

📱 23-01 13 h 32

Je te comprends. C'est une ville si romantique et si inspirante. J'aimerais beaucoup m'asseoir sur le bord de la Seine muni d'un papier et d'un crayon pour écrire tout ce qui hante mes pensées.

📱 23-01 13 h 32

Tu aimes écrire ?

📱 23-01 13 h 32

Oui. Surtout de la poésie.

📱 23-01 13 h 33

Wow. C'est cool.

📱 23-01 13 h 33

J'ai d'ailleurs déjà rédigé quelques poèmes en m'inspirant de tes yeux verts.

📱 23-01 13 h 33

Ah ben... Tu me feras lire ça quand je serai moins pressée...

📱 23-01 13 h 34

Léa Olivier

Ton regard m'a captivé dès la minute où je t'ai rencontrée.
Tu es la lumière dans mon pré.
Tu es la princesse des champs qui m'a charmé.
Ma Blanche-Neige bien-aimée.
J'aimerais te revoir pour te le prouver.
S'il te plaît, offre-moi cette opportunité.

📱 23-01 13 h 34

Ah. C'est beau, hein. Et ça rime.

📱 23-01 13 h 35

À ton tour, maintenant.

📱 23-01 13 h 35

Je ne peux vraiment pas. Je dois préparer mes exercices.

📱 23-01 13 h 35

Allez ! Je suis certain que tu as une plume poétique. Tu n'as qu'à écrire ce qui te passe par la tête sans te censurer.

📱 23-01 13 h 35

Je suis poche en poésie.

📱 23-01 13 h 35

Je n'abandonnerai pas tant que tu ne me dévoileras pas une petite parcelle de ton imagination.

📱 23-01 13 h 36

OK, OK.

Salut, Robin.
J'espère que tu vas bien.
Je me sens comme une quenouille mouillée.
Et je dois vraiment aller travailler.

📱 23-01 13 h 36

Ha ! Tu vois que tu es capable !

📱 23-01 13 h 37

On est loin de Baudelaire, mettons. Bon, je file. On se reparle bientôt, Robin !

📱 23-01 13 h 37

J'attendrai de tes nouvelles avec impatience, princesse Léa. xxxx

À : Léa_jaime@mail.com
De : Marilou33@mail.com
Date : Dimanche 24 janvier, 09 h 04
Objet : Impasse

Salut !

Je t'écris de mon lit. Tu vas trouver que je suis pas mal matinale pour un dimanche matin, mais la vérité, c'est que je n'ai presque pas fermé l'œil de la nuit.

J'ai essayé de te joindre sur Skype et même de t'appeler chez toi hier soir, mais ta mère m'a dit que tu étais malade depuis deux jours et que tu dormais déjà. Je vais donc t'écrire pour te raconter mes déboires.

Comme tu sais, je me suis pointée chez JP jeudi après l'école.

Quand il a ouvert la porte, j'ai tout de suite vu sur son visage que l'heure était grave.

JP : T'es vivante ? C'est bon à savoir.

Moi : Je t'avais dit que je partais à Québec pour quelques jours...

JP : Ouais, mais je ne pensais pas que tu allais passer la semaine là-bas.

Moi : Je suis rentrée mardi soir.

JP : Et ça ne t'a pas tenté de me donner signe de vie avant aujourd'hui ?

Moi : Je voulais qu'on en profite pour prendre un peu de recul. Je n'avais pas envie qu'on se chicane encore.

JP (en pouffant d'un air découragé) : Ce n'est pas moi qui ai fait une crise devant tout le monde.

Moi : Je sais. D'ailleurs, je tenais à m'excuser. Je n'aurais jamais dû disjoncter comme je l'ai fait.

J'ai baissé les yeux. Je ne savais pas trop quoi ajouter.

JP (en soupirant) : Ben, entre ! Tu ne vas quand même pas rester plantée dans le banc de neige !

J'ai souri et je l'ai suivi jusqu'à sa chambre. J'ai enlevé ma tuque et mon manteau et je me suis assise sur son lit. Il s'est quant à lui installé sur sa chaise de bureau et m'a observée sans rien dire.

Moi : Ben, c'est ça. Je voulais m'excuser pour mon attitude poche de samedi dernier.

JP : Ce n'est pas ton attitude qui m'a blessé, Marilou. Ce sont tes paroles.

Moi : Elles ont dépassé mes pensées.

JP : Es-tu sûre de ça ?

Moi : Ben oui ! Pourquoi tu me le demandes ?

JP : Parce que tu avais l'air sincère.

Moi : J'ai disjoncté. Je me suis sentie attaquée et ça me frustrait que tu veuilles partir et...

JP (en m'interrompant) : Arrête, Marilou. Je sais que tu me caches quelque chose. Je le sens dans mon ventre. D'ailleurs, c'est exactement le même *feeling* que j'ai eu quand tu as *frenché* Félix Olivier.

Moi : Je ne t'ai pas trompé, JP.

JP : C'est bon à savoir.

Moi : Et personne d'autre ne m'intéresse. Je n'aime que toi.

JP : Alors pourquoi est-ce que je sens que je suis sur le point de te perdre ?

Moi (en m'approchant de lui) : Ce n'est pas le cas.

JP (en s'adoucissant un peu) : Dis-moi ce qui se passe dans ta tête, s'il te plaît.

J'ai pris une profonde inspiration.

Moi : C'est sorti de façon agressive et très maladroite l'autre soir, mais je pense que je panique un peu depuis qu'on a parlé de l'avenir.

JP : Quand ça ?

Moi : En novembre dernier. Quand tu m'as dit que tu aimerais que je fasse mon cégep ici et qu'on se prenne un appart ensemble.

JP (surpris) : Tu veux dire que tu penses à ça depuis deux mois et tu n'as pas cru bon de m'en parler ?

Moi : Je ne voulais pas te mettre le fardeau sur les épaules. Après tout, ce n'est pas à toi de gérer mes angoisses.

Il a soupiré d'un air exaspéré.

Moi : OK, tu as raison. J'aurais dû t'en parler avant.

JP : Ce que je ne comprends pas, c'est que je n'ai pas mal réagi quand tu m'as parlé d'aller étudier à Québec.

Moi : Je sais.

JP : Je me suis même montré compréhensif quand tu m'as expliqué que tu avais envie de vivre quelque chose de différent.

Moi : Je sais ça aussi.

JP : Alors ça vient d'où, ce sentiment de panique ?

Moi : Je ne sais pas ! Ce n'est pas rationnel, *babe*. Et j'aimerais vraiment que ça s'estompe tout seul et qu'on profite simplement de ma dernière année ici sans se poser toutes sortes de questions...

JP : Mais ce n'est pas le cas ?

Moi : Non...

JP : Donc en résumé, tu m'aimes, mais tu capotes quand tu es avec moi parce que tu angoisses à propos de l'avenir, même si je ne t'ai donné aucune raison de paniquer ?

Moi : Ça ressemble à ça.

Il s'est gratté la tête avant de poursuivre.

JP : Je vais avoir besoin de plus d'explications, Lou.

J'ai soupiré.

Moi : Je sais que ça sonne étrange, mais c'est comme si des fois, je sentais que notre relation était devenue un peu trop... intense et sérieuse.

Il a détourné le regard, visiblement blessé. J'avais une fois de plus réussi à lui faire de la peine. Bravo.

JP (insulté) : Et tu veux quoi, au juste ? Qu'on se fréquente comme de bons amis ? Qu'on soit dans une relation ouverte pour que tu puisses embrasser d'autres gars ?

Moi : Non ! Je ne veux rien savoir des autres et je ne veux pas qu'on change quoi que ce soit. Mais tu m'as demandé d'être honnête, alors je voulais te dire comment je me sens.

JP : Et je suis censé faire quoi, maintenant ? Attendre que ça passe en me demandant chaque fois si tu es heureuse ou si tu souhaiterais être ailleurs ? Je ne peux pas faire ça, Marilou. Une relation, c'est fait pour évoluer dans le bon sens. Pas pour régresser.

Moi (en sentant les larmes me piquer les yeux) : Et un couple, c'est fait pour traverser les épreuves ensemble. Pis ça, c'en est une.

JP : Ne pas habiter dans la même ville, c'est une épreuve. Avoir des doutes à propos de nous, c'est un échec.

Moi : Je n'ai pas de doutes ! J'ai juste besoin d'un peu de temps.

JP (en éclatant) : Tu me prends vraiment pour acquis, hein ?

Moi (en éclatant en sanglots) : Non !

JP : Tu voudrais quoi, au juste ? Vivre ta vie et tes expériences pendant que j'attends et que j'espère que tu sois un jour prête pour nous deux ?

Moi : Tu ne comprends pas ! Ce n'est pas parce que je vis des moments de panique que je veux t'éloigner de moi !

JP : Tu espérais quoi en me disant tout ça ?

Moi : Rien ! Et c'est pour ça que j'ai passé deux mois sans t'en parler ! Je savais que tu allais en faire tout un plat et t'imaginer les pires scénarios !

Il y a eu un moment de silence. Je me suis alors levée et je me suis approchée de lui pour lui prendre la main.

Moi : Je ne veux pas te perdre, Jean-Philippe. Je traverse juste une période un peu... bizarre.

JP (en se radoucissant) : Quand je pense à l'avenir, tu en fais partie, Lou.

Moi : Toi aussi, tu fais partie du mien.

JP : Je pense qu'au contraire, ça te fait paniquer de m'inclure dans tes plans.

Moi : Ce n'est pas vrai !

JP m'a confrontée du regard. J'ai baissé les yeux.

JP (en se levant) : J'ai besoin de temps pour digérer tout ça, Marilou.

Moi : Voudrais-tu qu'on en reparle demain ?

JP : Tu me comprends mal. Je pense qu'on devrait prendre un *break*.

Moi (complètement paniquée) : Quoi ? Mais ce n'est pas juste ! J'ai l'impression que tu me punis de t'avoir dit comment je me sens alors que c'est toi qui as insisté pour que je le fasse !

JP (d'une voix calme) : Je ne te punis pas. Je réagis à ce que tu m'as dit. Je n'ai pas envie de stresser chaque fois qu'on se voit. D'ailleurs, c'est quelque chose que tu devrais comprendre puisque tu m'as dit la même affaire quand il a été question de refaire l'amour.

Moi : Ça n'a rien à voir ! Moi, je voulais juste qu'on passe du temps ensemble sans penser à ça. Toi, tu es en train de me dire que tu ne veux plus me voir du tout !

JP : Non, je suis en train de t'expliquer que je ne peux pas sortir avec une fille qui capote parce que notre relation est sérieuse et qui ne sait pas ce qu'elle veut.

Moi : Je sais que j'ai besoin de toi. Et je n'ai pas envie de prendre un *break*.

JP : Moi, oui.

Il a prononcé ces deux derniers mots sur un ton très ferme. Je le connais assez bien pour savoir qu'il ne changera pas d'avis. Il est trop entêté pour ça.

J'ai donc enfilé ma tuque et mon manteau et je suis rentrée chez moi sans rien ajouter. J'ai passé les derniers jours sur le pilote automatique sans ressentir grand-chose. C'est comme si mon cœur était sous analgésique, ou que j'assistais à ce qui arrive sans le vivre réellement.

Laurie et Steph sont même venues dormir chez moi vendredi soir pour s'assurer que je ne m'affalerais pas sous les sanglots, mais je n'ai pas versé une seule larme depuis que j'ai quitté la maison de JP.

Bref, j'ai passé une partie de la nuit à essayer d'analyser ce blocage émotif, mais sans succès. Penses-tu que c'est parce qu'inconsciemment je suis contente de pouvoir respirer un peu, parce que je n'ai pas encore réalisé ce qui s'était passé ou parce que je suis devenue aussi insensible qu'un bloc de pierre ?

Connecte-toi dès que tu peux, car ce serait beaucoup plus cool de s'en parler de vive voix.

Lou xox

Chapitre 4 :
Cheveux roses
et bouton pustuleux

À : Marilou33@mail.com
De : Léa_jaime@mail.com
Date : Mardi 26 janvier, 21 h 34
Objet : Mégane, préado au cœur rebelle

Salut !
Alors, comment ça se passe depuis qu'on a discuté ? As-tu
eu des nouvelles de JP ? J'ai repensé à mon hypothèse et
je persiste à croire que si tu ne ressens toujours rien, c'est
parce que tu sais que ce n'est pas fini entre toi et lui, et que
ce petit moment de réflexion vous permettra simplement de
devenir encore plus unis et forts.

En attendant, laisse-moi te relater ma fin de semaine,
question de te divertir un peu.

Premièrement, j'ai eu un échange de textos avec Robin des
Bois samedi, et j'ai vraiment de gros doutes quant à son
avenir, Lou. Je sais que tu crois qu'il est essentiel à ma
relance amoureuse, mais il est TELLEMENT intense comme
gars ! Genre qu'il n'arrêtait pas de me complimenter et de
me comparer à un ruisseau ou à une fleur des champs.
Et il m'a même écrit un petit poème vraiment quétaine
pour essayer de me convaincre de le revoir. Ça, c'est sans
compter les cinq appels en absence et dix-huit émoticônes
de cœur qu'il m'a envoyées depuis. Je sais que je devrais
être flattée, mais ça m'apparaît un peu excessif.

Deuxièmement, Mégane est de retour. J'étais justement en train de l'attendre dans le salon quand Félix est apparu.

Félix : Les parents sont où ?

Moi : Partis faire de la raquette.

Félix : Ils sont motivés !

Moi : Je pense qu'ils voulaient surtout s'assurer d'être absents quand les Câlinours feraient leur arrivée. Parlant de ça, Mégane a dix minutes de retard. J'espère qu'elle ne m'a pas oubliée.

Félix (en haussant les épaules) : Au pire, ce ne serait pas de ta faute. Tu serais donc payée sans devoir travailler.

Moi (en me levant et en posant mes feuilles de grammaire sur la table de la salle à manger) : Contrairement à toi, Félix, je ne carbure pas à la paresse et à l'arnaque. J'ai sincèrement envie qu'elle s'améliore en français et qu'elle continue à se confier à moi comme si j'étais sa grande sœur.

Félix : J'espère que tu ne lui donneras pas de conseils amoureux, parce qu'elle risque de rester célibataire toute sa vie.

Moi : Euh, t'es qui, pour parler ?

Félix (en rougissant) : Un gars qui est dans une relation sérieuse.

Moi : Avec qui ? Flavie, alias la fille que tu oublies de rappeler une fois sur deux et que tu refuses de nous présenter ?

Félix : Nah. C'est fini avec elle.

Moi (pince-sans-rire): Et tu as déjà eu le temps d'en rencontrer une autre et de fonder quelque chose de solide? Pff! N'importe quoi!

Félix (sur la défensive): C'est quelqu'un que je connaissais déjà, alors les choses sont allées très vite.

Moi: Pas une autre ex, j'espère?

Félix: *Nope.*

Moi: C'est une de tes amies? Pas Édith, toujours?

Félix: Ark! Ce serait comme sortir avec ma cousine. Ou ma sœur.

J'ai grimacé.

Moi: Ben, là, c'est qui, d'abord?

La sonnette a aussitôt retenti.

Félix (avant de filer à l'étage): Sauvé par la cloche!

Je me suis dirigée vers l'entrée, et j'ai eu tout un choc en ouvrant la porte. Mégane avait coupé ses cheveux au menton et les avait teints en rose bonbon.

Mégane: Surprise!

Moi (en la laissant entrer et en écarquillant les yeux): Mégane? Mais... Es-tu au courant que tes cheveux ont changé de couleur?

Mégane : Bien sûr que oui ! Je viens juste d'aller chez le coiffeur avec mon amie. C'est beau, hein ?

Moi (en fronçant les sourcils) : Euh, oui, oui... Mais tu ne trouves pas que tu es un peu jeune pour ce genre de look ?

Mégane : Il n'y a pas d'âge pour être cool.

Moi : En tout cas, tes parents sont pas mal plus relaxes que je pensais. Les miens auraient fait un arrêt cardiaque si j'étais rentrée chez moi avec une tête de barbe à papa quand j'étais en cinquième année.

Mégane (en haussant les épaules) : Ils ne le savent pas encore.

Moi : Pardon ?

Mégane (en roulant les yeux) : Je préfère les mettre devant le fait accompli.

Moi (en lui tendant un verre d'eau et en l'invitant à s'asseoir) : Mais tu n'as pas peur de leur réaction ?

Mégane (en haussant les épaules) : Ce qui est fait est fait.

Je l'ai observée, inquiète.

Moi (perplexe) : Mégane, qu'est-ce qui se passe avec toi ?

Mégane : Qu'est-ce que tu veux dire ?

Moi : Je te sens... différente. Est-ce que quelque chose est arrivé durant les vacances ?

Mégane : Oui. Je me suis fait une nouvelle amie vraiment cool. Elle a même cassé avec Alex à ma place.

Moi : Hein ?

Mégane : Tu te souviens de *mon* Alex ? Celui qui sortait avec mon ancienne *best* Julianne avant que je lui vole, et qui m'énervait parce qu'il était trop collant ?

Moi : Son nom est dur à oublier.

Mégane : J'étais tannée de sortir avec lui, et je ne savais plus quoi faire pour m'en débarrasser. C'est là que Marie-Amande m'a proposé de lui téléphoner pour lui dire que je cassais.

Moi : Marie-Amande ?

Mégane : Ma nouvelle *best*. Celle qui a remplacé Julianne.

Moi : C'est son vrai nom ?

Mégane : Oui. C'est beau, hein ? Je l'ai rencontrée quand je suis allée faire du ski avec mes parents. Comme il faisait -25° et que je n'avais plus envie de descendre les pentes, je suis allée les attendre dans le gros chalet. J'ai commandé une poutine, et Marie-Amande est venue me quêter une frite. C'est comme ça qu'on a commencé à parler et on est restées en contact. Elle habite à Montréal, elle aussi. C'est vraiment le *fun* d'avoir une amie plus mature avec qui je peux discuter des vraies choses. On vit vraiment les mêmes affaires.

Moi : Ah oui ? Et elle a quel âge, au juste, ta Marie-Noisette ?

Mégane : Quinze ans.

Moi : Ben là ! Elle est bien trop vieille pour être ton amie !

Mégane : Rapport ! Regarde toi et moi. On est, genre, *full* proches.

Moi : Ouais, mais ça, c'est parce que je suis comme une grande sœur pour toi.

Mégane : Euh, tellement pas ! Tu es aussi une *best,* et c'est comme si on avait le même âge. La preuve, c'est qu'on vit les mêmes expériences et qu'on sort avec les mêmes gars !

Moi : Ils partagent juste le même prénom, Mégane. Et contrairement à toi, je ne suis jamais *sortie* avec *mon* Alex.

Mégane (en prenant ma main) : Ça n'a pas fonctionné, vous deux ? Est-ce que c'est parce qu'il était trop collant, lui aussi ?

Moi : C'est un peu plus compliqué que ça.

Mégane : Explique-moi, alors.

Moi : Tu ne comprendrais pas, Mégane.

Mégane : Ben là ! Je ne suis pas un bébé !

Moi : Je sais, mais tu n'es pas non plus en secondaire 5. Profite donc de ton primaire en faisant des choses de ton âge au lieu de te laisser corrompre par Marie-Pistache !

Mégane : Les gens de ma classe sont trop immatures. Et Marie-Amande n'arrête pas de dire que j'ai une vieille âme.

J'ai soupiré en secouant la tête, puis je l'ai regardée d'un air sérieux.

Moi : Mégane ? Tu me fais confiance, hein ?

Mégane : C'est sûr. Tu es, genre, ma jumelle.

Moi : Alors, crois-moi quand je te dis que cette fille n'est pas une bonne fréquentation pour toi.

Mégane : Qu'est-ce que tu en sais ? Tu ne la connais même pas !

Moi : Pas besoin de la connaître pour savoir qu'une fille de quinze ans qui essaie d'en corrompre une de dix, ce n'est pas normal.

Mégane : Eille ! J'aurai bientôt onze ans, tu sauras !

Moi : Même affaire.

Mégane (en se braquant) : Tu es pire que mes parents ! Moi qui croyais que tu étais cool !

Moi : Je veux juste te protéger, Mégane.

Mégane : J'aurais dû me confier à ton frère. Lui, il m'aurait comprise.

Moi : J'en doute très fort. Bon, est-ce qu'on peut se concentrer sur la grammaire, maintenant ?

Elle a roulé les yeux en poussant un soupir d'exaspération.

Mégane : Marie-Amande dit qu'il y a des choses vraiment plus importantes dans la vie que les résultats scolaires.

Moi (en perdant patience) : Et moi, je te dis que si tu ne te concentres pas sur tes exercices, tu couleras ton année, et tes expériences capillaires deviendront le moindre de tes soucis.

Mégane : Ça veut dire quoi, « capitaire » ?

Moi (en me radoucissant) : Tu le sauras si tu te concentres sur tes études.

Elle a poussé un autre soupir pour me faire comprendre que je l'exaspérais au plus haut point avant de prendre ses feuilles et de compléter les exercices que je lui indiquais. Une heure plus tard, elle avait appris à conjuguer son subjonctif, mais elle m'avait reléguée au rang des gens «*out*».

Moi (en rangeant mes feuilles) : Ghislaine et Réal viennent te chercher ?

Mégane : Non. Je leur ai dit que vous me raccompagneriez, car je n'avais pas envie qu'ils se pointent ici et me fassent une crise en public.

Moi (en essayant de regagner sa confiance) : Je comprends. Il va juste falloir attendre le retour de mes parents.

Mégane (en haussant les épaules) : C'est correct. Je vais prendre l'autobus. Ça me permettra d'écouter la musique que Marie-Amande a mise sur mon iPod.

Moi : Je ne peux pas te laisser prendre le transport en commun toute seule. Tu vas te perdre !

Mégane : Je ne suis pas niaiseuse, Léa !

Je me suis retenue de lui avouer que ça m'arrivait encore toutes les semaines.

Moi (en regardant par la fenêtre) : J'ai une meilleure idée. Mes parents sont partis à pied, alors Félix pourrait te reconduire en voiture.

Félix (en arrivant sur ces entrefaites) : Euh, c'est impossible. J'ai un rendez-vous dans moins d'une heure.

Moi (en le poussant vers l'entrée) : Tu n'as qu'à le repousser. D'ailleurs, je suis certaine que ta nouvelle flamme sera touchée par ta bonté et ta générosité quand tu lui raconteras que tu as affronté le trafic pour reconduire une petite fille chez elle.

Mégane : Une GRANDE fille.

Félix (en l'observant de près) : *Dude !* Qu'est-ce qui s'est passé avec tes cheveux ?

Moi : Elle aura tout le temps de te raconter ça dans la voiture. Moi, je vais vous laisser, parce que mon heure de tutorat a anéanti le peu de cellules actives qui n'avaient pas déjà été englouties par mon virus.

Je me suis sauvée dans ma chambre, fière de mon coup. Depuis le jour de l'An, Félix a le don de se défiler au moment où il doit effectuer ses tâches ménagères, me forçant à les faire pour lui. J'étais donc contente de lui rendre la pareille.

J'ai somnolé le reste de la journée. J'étais d'ailleurs en train de rêver qu'Alex me secourait d'un édifice en flammes (je peux essayer de le chasser de mes pensées, mais je ne peux apparemment pas le *flusher* de mon subconscient) quand j'ai entendu des cris provenir du rez-de-chaussée. Je me suis redressée dans mon lit, un peu perdue. Il faisait déjà noir dehors, et mon cadran indiquait qu'il était 19 heures.

Voix inconnue féminine : On ne savait plus quoi faire, alors on s'est dit qu'on viendrait chez nos amis de la grande ville pour leur demander un conseil. Léa est là ?

Mon père : Elle est malade. Elle dort.

Voix inconnue masculine : On va attendre qu'elle se réveille. On n'est pas pressés, de toute façon. Eille, ç'a tu du bon sens, l'état des routes, par ici ? Laissez-moi vous dire que les nids-de-poule de la métropole n'ont pas ménagé mes hémorroïdes. D'ailleurs, vous n'auriez pas ça, un bidet ?

J'ai grimacé. Pas besoin d'en entendre plus pour reconnaître les Câlinours. Je suis descendue en vitesse pour porter secours à mes parents.

Ma mère (en me regardant d'un air reconnaissant) : La voilà, justement. Chérie, Réal et Ghislaine voulaient te parler de Mégane.

Ghislaine (d'un ton hystérique) : Elle est arrivée à la maison accoutrée n'importe comment, avec des cheveux roses. ROSES, Léa !

Moi : Je sais. Je l'ai vue cet après-midi.

Ghislaine : Et tout ça, c'est la faute de sa nouvelle amie Amandine !

Moi : Marie-Amande.

Ghislaine : C'est une mauvaise influence, Léa.

Moi : Je lui ai dit la même chose.

Ghislaine : Elle a convaincu mon bébé de se faire teindre les cheveux, réalises-tu ?

Moi : Oui, mais au moins, c'est réversible. Ce serait pire si c'était un tatouage.

Ghislaine (en agrippant le bras de Réal, les yeux sortis de leurs orbites) : Chéri, penses-tu qu'elle va aussi se faire percer la langue ?

Réal : Je ne crois pas que...

Ghislaine : Ça y est ! Ma pauvre petite fille chérie est tombée dans la déchéance !

Moi (en essayant de la calmer) : Essayez de ne pas paniquer, Ghislaine. Mégane est peut-être un peu trop influençable, mais elle est capable de faire preuve de jugement.

Ghislaine (en s'avançant vers moi et en me prenant les mains) : Merci pour tes bons mots.

Moi : Euh, ça me fait plaisir.

Ghislaine (en me regardant avec intensité) : Léa, serais-tu assez gentille pour venir habiter chez nous le temps que ça se tasse ?

Moi : Pardon ?

Ghislaine : Je pense que ça aiderait Mégane à rester sur la bonne voie.

Réal : Bonne idée ! On pourrait t'installer dans la petite chambre à côté des toilettes !

Moi : Et mon école ?

Ghislaine : On va s'arranger !

Ma mère (en intervenant) : Je comprends votre inquiétude, Ghislaine, mais Léa est mineure, et je préfère qu'elle reste avec nous.

Ghislaine a baissé la tête, déçue.

Moi (en essayant de la réconforter) : Mais je vous promets de tout faire pour convaincre Mégane de prendre ses distances avec Marie-Amande.

Ghislaine (en souriant) : Merci, Léa. J'apprécie ton soutien.

Bruits de criquets.

Réal : Y a pas à dire : le stress m'a ouvert l'appétit.

Ghislaine : Ce n'est pas étonnant avec tout ce que tu as évacué ce matin !

Ma mère, mon père et moi avons échangé un regard dégoûté.

Nouveaux de bruits de criquets.

Ghislaine : C'est vrai que l'heure du souper approche, hein ?

Mes parents ont toussoté. Les Câlinours n'attendaient qu'un petit signe de leur part pour s'incruster.

Mon père : Ouais, d'ailleurs, on ne vous retiendra pas plus longtemps. Sinon, Mégane va s'inquiéter !

Ghislaine : Pff ! *Parle-moi-z'en* pas ! Elle est tellement en colère contre nous qu'elle refuse de sortir de sa chambre. On a dû demander à la voisine de la surveiller.

Moi : Et vous n'avez pas peur qu'elle profite de votre absence pour rejoindre Marie-Amande ?

Ghislaine (en écarquillant les yeux) : J'avoue que je n'avais pas pensé à ça.

Moi (en poursuivant sur ma lancée) : À votre place, je rentrerais tout de suite à la maison pour m'assurer qu'elle n'a pas fugué.

Réal (en se prenant le ventre) : Ça y est ! Le stress me repogne !

Ghislaine (en l'agrippant par le bras) : Pas le temps d'aller aux toilettes ! Léa a raison : il faut rentrer au plus vite.

Les Câlinours sont partis en trombe, et mes parents ont poussé un long soupir de soulagement.

Ma mère : Merci, Léa. Je me sens mal devant ce qu'ils vivent, mais je t'avoue que je n'avais pas la force de les recevoir à souper.

J'ai ensuite aidé mes parents à mettre la table et on a partagé une fondue au fromage et une autre au chocolat avant de s'endormir devant un film.

Dimanche, Jeanne est venue chez moi pour qu'on fasse nos devoirs et qu'on travaille sur les pancartes promotionnelles de notre deuxième vente de t-shirts pour le voyage en France, et je me suis reposée le reste de la journée. Hier, mes parents m'ont forcée à rester au lit malgré la montagne de travaux qui s'accumulaient sur mon bureau, et aujourd'hui, j'ai dû rattraper mon retard en assistant à trois réunions de comités à l'école, en plus de recopier les notes de tous les cours que j'avais manqués.

D'ailleurs, je dois vraiment te laisser, car j'ai une tonne de devoirs, mais j'attends de tes nouvelles avec impatience !

Léa xox

Jeudi 28 janvier

20 h 11

Léa (en ligne): Salut, Kath! Ça va?

20 h 11

Katherine (en ligne): Salut! Oui, et toi?

20 h 11

Léa (en ligne): Pas pire. À part que j'ai l'impression qu'on ne se voit jamais à l'école!

20 h 12

Katherine (en ligne): C'est vrai qu'on est pas mal occupées chacune de notre bord, ces temps-ci!

20 h 12

Léa (en ligne): Et quand on arrive enfin à se croiser, c'est comme si on marchait sur des œufs. Tu ne trouves pas?

20 h 12

Katherine (en ligne): Peut-être un peu...

20 h 13

Léa (en ligne): Qu'est-ce qui se passe, Kath? Est-ce que j'ai fait quelque chose qui t'a blessée sans m'en rendre compte?

20 h 13

Katherine (en ligne): Non! Ce n'est pas de ta faute. Promis.

20 h 13

Léa (en ligne): C'est à cause d'Oli, c'est ça?

20 h 13

Katherine (en ligne): Ouais. Je sais que tu es encore proche de lui et on dirait que je n'ose rien te dire pour ne pas créer de malaise.

20 h 13

Léa (en ligne): Mais c'est plutôt en m'évitant que tu vas en créer un! J'aime beaucoup Oli, Kath, mais je suis avant tout ton amie. Et je ne veux surtout pas que tu t'imagines que je te délaisse pour lui, ni que j'approuve la façon dont il t'a traitée dans tout ça.

20 h 14

Katherine (en ligne): Bof. Je n'ai pas été un exemple de maturité, moi non plus.

20 h 14

Léa (en ligne): Qu'est-ce que tu veux dire?

20 h 14

Katherine (en ligne): Qu'Olivier s'acharne depuis trois semaines pour qu'on s'explique, mais que je suis trop bébé pour l'affronter et écouter ce qu'il a à me dire.

20 h 14

Léa (en ligne): Je fais pareil avec Alex. Ça s'appelle de l'évitement volontaire. Et je ne crois pas que ce soit bébé. Je pense juste que tu es tannée d'avoir de la peine à cause de lui.

20 h 15

Katherine (en ligne): Exactement. Mais ça ne change pas le fait qu'il me manque beaucoup.

20 h 15

Léa (en ligne): Je te comprends tellement! Chaque fois que je vois quelque chose de drôle à la télé, que je vis quelque chose d'intense ou qu'il m'arrive une situation farfelue, j'ai envie de partager ça avec Alex. Mais je me retiens, parce que je sais que même si j'aimerais que tout redevienne comme avant, c'est impossible tant que je ressentirai quelque chose pour lui. Et je ne peux pas faire comme s'il ne s'était rien passé entre nous.

Katherine (en ligne): Tu résumes tellement bien la situation! Je me sens exactement comme ça avec Oli. Et pour l'instant, je sais que je ne peux pas me contenter de son amitié. Ce serait vraiment de la torture de le fréquenter de façon platonique et de l'écouter me parler de sa Marianne chérie.

20 h 16

Léa (en ligne): Si ça peut te rassurer, je pense sincèrement qu'il ne s'est rien passé entre eux.

20 h 16

Katherine (en ligne): C'est Oli qui te l'a dit?

20 h 16

Léa (en ligne): Non. C'est un *feeling* que j'ai. En plus, je ne les vois jamais ensemble. Contrairement à Alex et Bianca...

20 h 17

Katherine (en ligne): À moi de te réconforter : je pense aussi que la rumeur est fausse.

20 h 17

Léa (en ligne): Jeanne t'en a parlé ?

20 h 17

Katherine (en ligne): Non. C'est Lydia qui me l'a dit dans une réunion du défilé de mode.

20 h 17

Léa (en ligne): Tu vois ? C'est en train de faire le tour de l'école. C'est signe qu'il y a anguille sous roche !

20 h 18

Katherine (en ligne): C'est Maude, l'anguille ! Et elle cherche juste à foutre le trouble, comme d'habitude.

Léa (en ligne): Et moi, j'ai le sentiment qu'elle dit vrai. J'ai juste très hâte de me sentir immunisée.

20 h 18

Katherine (en ligne): Pareil pour moi! Au moins, je sais que j'aurai la paix dans quelques mois.

20 h 18

Léa (en ligne): À cause des vacances?

20 h 18

Katherine (en ligne): Oui. Et aussi parce que je vais étudier à Dawson et que je sais qu'Oli n'y enverra pas de demande d'admission.

20 h 19

Léa (en ligne): C'est cool, ça! Je ne savais pas que tu avais déjà fait ton choix!

20 h 19

Katherine (en ligne): Ouais. Je veux étudier en *creative arts.*

20 h 20

Léa (en ligne): Wow. Je suis contente que tu aies trouvé ta voie, mais ça me fait de la peine de savoir qu'on ne se verra plus tous les jours. ☹

20 h 20

Katherine (en ligne): Pourquoi tu ne fais pas une demande à Dawson, toi aussi? Ils ont un super bon programme de littérature!

20 h 20

Léa (en ligne): Parce que je suis bien trop poche en anglais!

20 h 20

Katherine (en ligne): Sais-tu où tu veux appliquer?

20 h 21

Léa (en ligne): Comme je veux mettre toutes les chances de mon côté, pas mal à toutes les institutions francophones de la région métropolitaine! 😉

20 h 21

Katherine (en ligne): Je suis sûre que tu seras acceptée partout.

20 h 21

Léa (en ligne): Ça, c'est parce que tu n'as pas vu mes notes en anglais et en éducation physique. Ça fait vraiment baisser ma moyenne.

20 h 21

Katherine (en ligne): Ouais, mais comme tu pètes des scores dans toutes les autres matières, je suis certaine que tout va bien aller.

20 h 21

Léa (en ligne): Merci de calmer mes angoisses! Au moins, je sais maintenant dans quel programme je veux m'inscrire.

20 h 22

Katherine (en ligne): As-tu déjà envoyé tes demandes d'admission?

20 h 22

Léa (en ligne): J'ai commencé, mais c'est long! Ma mère a promis de m'aider. Toi?

20 h 22

Katherine (en ligne): C'est déjà fait! Là, il ne me reste plus qu'à croiser les doigts jusqu'au début avril!

20 h 22

Léa (en ligne): C'est stressant, hein?

20 h 22

Katherine (en ligne): Mets-en! Et selon ma mère, ce n'est que le début, car après, on devra tout recommencer pour les admissions à l'université, les demandes de bourses, les demandes d'emploi, et ainsi de suite.

20 h 23

Léa (en ligne): Wow! Ç'a l'air le fun, le monde adulte! #Sarcasme

20 h 23

Katherine (en ligne): Avoue, hein? Ça me donne presque le goût d'avoir seize-ans-presque-dix-sept pour toujours!

20 h 23

Léa (en ligne): Pas moi, car ça impliquerait de devoir endurer les nunuches toute ma vie.

20 h 23

Katherine (en ligne): Ha! Ha!

20 h 23

Léa (en ligne): Je peux être quétaine, une minute?

20 h 24

Katherine (en ligne): Bien sûr.

20 h 24

Léa (en ligne): Je réalise à quel point ça me manquait de me confier à toi.

20 h 24

Katherine (en ligne): Je pense la même chose.

20 h 24

Léa (en ligne): Est-ce qu'on peut se promettre qu'on ne laissera plus jamais nos histoires de gars s'immiscer dans notre amitié?

20 h 25

Katherine (en ligne): Oui. Après tout, les gars passent, mais les *best* restent pour la vie.

20 h 25

Léa (en ligne): Amen.

20 h 25

Katherine (en ligne): Bon, il faut que je file. Je dois inventer une chorégraphie pour la présenter à Bianca, demain midi.

20 h 25

Léa (en ligne): Et moi, je dois terminer un article qui décrit ma première répétition du défilé.

20 h 26

Katherine (en ligne): Et dis-moi, sur une échelle de 1 à 10, comment qualifierais-tu ton expérience ?

20 h 26

Léa (en ligne): Hum… -17. Et j'ai bon espoir de tomber à -32 lors de ma répétition de la semaine prochaine.

20 h 26

Katherine (en ligne): Ha! Ha! Ha! J'ai déjà hâte de lire ça! À demain, ma chérie! *Luv!* xox

20 h 27

Léa (en ligne): À demain! xx

À : Léa_jaime@mail.com
De : Marilou33@mail.com
Date : Dimanche 31 janvier, 14 h 31
Objet : Plan d'action

Salut, Léa !

J'en suis à mon dixième jour de *break,* et je crois enfin comprendre pourquoi je n'ai toujours pas versé de larmes. Je sais que ça sonne un peu égoïste, mais je t'avoue que ça fait du bien d'avoir du temps pour ne penser qu'à moi et faire les choses que j'aime. D'ailleurs, je vais nager tous les matins. Je réalise que j'avais un peu délaissé la natation depuis la fin des compétitions l'automne dernier, et que ça me manquait de plonger dans la piscine pour le plaisir et pour m'aérer l'esprit.

Je profite aussi de notre pause pour prendre du recul et faire ce que JP m'a demandé, c'est-à-dire réfléchir à ce que je voulais et à ce que j'entrevoyais pour nous deux dans l'avenir. Le problème, c'est que je n'ai toujours pas de réponse satisfaisante à lui offrir, car notre futur est incertain.

Quand je pense à l'an prochain, je me vois en train de triper et de vivre plein de nouvelles expériences à Québec. Et même si ça me fait un petit pincement au cœur de quitter notre patelin, mon petit frère et ma famille, je suis vraiment excitée à l'idée de partir à l'aventure, d'assister à des cours intéressants (je sais que l'administration te semble aussi passionnante qu'un ouvre-boîte, mais c'est un premier pas vers le droit et mon futur métier d'avocate) et de me faire des tonnes de nouveaux amis.

Je sais que je pourrais inclure JP dans mes plans, mais on dirait que c'est là où je bloque, car je sais qu'il est bien ici, et qu'il se voit y faire sa vie. Jean-Philippe n'a jamais eu l'intention de quitter notre village, et ce n'est pas son ambition de faire le tour du monde. Je l'imagine plutôt vivre une vie rangée, se marier et avoir des enfants d'ici cinq ans.

En fait, c'est comme si nos projets ne *fittaient* pas ensemble. Un peu comme Rory et Dean dans *Gilmore Girls* (à part que je suis moins *cute* qu'elle). Tu vas me dire qu'à dix-sept et dix-neuf ans, rien n'est coulé dans le béton, mais je crois que c'est assez clair qu'on n'aspire pas aux mêmes choses, lui et moi. Et c'est ça qui me fait peur. Je ne veux pas rester enchaînée ici parce qu'il n'a pas envie de partir, et je ne veux pas non plus lui demander de sacrifier ses rêves pour me rendre heureuse.

D'un autre côté, je sais qu'il me reste encore plusieurs mois à vivre ici, et j'ai envie de les passer à ses côtés, car je l'aime et je n'ai pas envie de me séparer de lui. Comme tu vois, c'est assez compliqué. Et comme je sais que ça ne se simplifiera pas demain matin et que je ne peux pas repousser éternellement le moment de lui en parler, je vais lui envoyer un texto pour lui proposer de se voir cette semaine. Je t'en redonnerai évidemment des nouvelles.

Mes heures d'oisiveté m'ont aussi permis de réfléchir à ta peine d'amour et au fait que tu mérites un gars qui a plus de maturité qu'une chenille et qui est capable d'assumer ce qu'il ressent pour toi. Quelqu'un qui se dévoue à toi et à votre relation. Un gars comme JP. Je sais que c'est un peu ironique de dire ça alors qu'on est en *break*, mais mes remises en question quant à notre avenir n'ont rien à voir avec la personne qu'il est. JP est le meilleur chum au monde, et je te souhaite sincèrement quelqu'un comme lui. Il fut un temps où je croyais qu'Alex représentait cet idéal, mais tu sais comme moi que ce n'est pas le cas.

Je te présente donc officiellement le plan d'action que tu devras respecter pour te libérer de son emprise une fois pour toutes.

1- Je, Léa Olivier, jure solennellement que j'arrêterai de mettre Alex Gravel-Côté sur un piédestal. S'il est trop con pour saisir sa chance et sortir avec moi, ça prouve qu'il a le cerveau d'une fourmi.

2- Je, Léa Olivier, m'engage à me concentrer sur les choses qui me gossent chez Alex plutôt que sur ses qualités pour m'aider à réaliser qu'il n'est pas un demi-dieu.

3- Je, Léa Olivier, me laisserai complimenter par Robin des Bois même si je le trouve trop intense avec ses poèmes quétaines.

4- Je, Léa Olivier, organiserai une sortie avec ledit Robin des Bois pour m'aider à me sortir de ma torpeur et réaliser qu'il y a d'autres poissons dans l'eau.

5- Je, Léa Oliver, me concentrerai sur mes amitiés et mes activités en cours pour m'occuper l'esprit.

6- Je, Léa Olivier, m'arrangerai pour me tenir loin de tous les potins qui concernent Alex Gravel-Côté et qui risquent d'affecter mon humeur et de miner ma motivation.

7- Je, Léa Olivier, bloquerai ledit Alex Gravel-Côté de mon fil d'actualités Facebook et Instagram jusqu'à nouvel ordre.

8- Je, Léa Olivier, ferai honneur à la résolution que j'ai prise avec ma meilleure amie Marilou Bernier lors du Nouvel An et profiterai au maximum des derniers mois de mon secondaire au lieu de laisser un gars dicter mon humeur.

9- Enfin, je, Léa Olivier, dirai à ma meilleure amie Marilou Bernier à quel point je la trouve merveilleuse, gentille, intelligente et splendide.

Tu dois maintenant imprimer ce petit guide pratique et l'épingler au mur de ta chambre pour le consulter chaque fois que tu te sentiras triste à cause d'Alex.

Enfin, pour m'assurer de la réussite de mon plan d'action, je suis forcée de te donner un ultimatum : tu as jusqu'à la semaine de relâche (et mon arrivée en ville) pour atteindre ton objectif et te sortir Alex de la peau. Je t'entends déjà me dire que tu ne peux pas simplement fermer l'interrupteur de tes sentiments ou quelque chose de romantique dans le genre, mais je ne suis pas d'accord. Je suis consciente que certaines personnes nous collent à la peau et occupent une place spéciale dans notre cœur, mais je sais aussi qu'il nous revient de nous botter le derrière pour aller de l'avant et être heureuses.

Je sais que je sonne bête et intransigeante, mais comme les approches plus douces n'ont pas donné de résultats concluants, je me rabats sur le *tough love* pour que tu te ressaisisses.

Et comme je sais que tu roules les yeux derrière ton ordinateur en me maudissant d'être aussi directe avec toi, je vais me racheter avec mon récit de mon altercation surprise avec le démon incarné, alias Sarah Beaupré.

C'est arrivé hier, alors que j'étais à la pharmacie en train de faire des courses pour ma mère.

J'étais en train de choisir entre deux types de papiers de toilette lorsque j'ai entendu une voix gossante et nasillarde derrière moi.

Voix gossante : Ça te va bien de traîner proche du papier-cul.
Moi (en sursautant et en me retournant vers elle) : Qu'est-ce que tu me veux, Sarah ?
Sarah : Je m'ennuyais de toi.
Moi : Le sentiment n'est pas réciproque. Je me porte beaucoup mieux quand tu es loin.
Sarah : Pourtant, je trouve qu'on s'est beaucoup rapprochées depuis que je connais ta vie personnelle ! D'ailleurs, voudrais-tu me donner plus de détails ? Je suis sûre que les abonnés de ma chaîne YouTube se meurent d'envie de connaître la suite de tes folles aventures amoureuses.

Je me suis retenue de lui sauter au visage.

Moi (en plissant les yeux) : Et toi, Sarah, comment va ton couple ?
Elle m'a défiée du regard.

Sarah : Mieux que le tien, à ce que j'ai entendu.

J'ai froncé les sourcils. Je n'arrivais pas à croire que Thomas se soit une fois de plus ouvert la trappe.

Sarah : Qu'est-ce qui s'est passé ? JP a enfin réalisé que tu étais une *loser* ou il a simplement été dégoûté par le bouton pustuleux que tu as sur le menton ?

Moi : Je ne sais pas ce que ton ex te raconte, mais ça va très bien entre JP et moi.

Sarah : Je n'ai pas besoin de Tom pour savoir ce qui se passe dans ta vie. Tout finit par se savoir, Marie-Nulle. Surtout quand tu décides de faire une crisette à ton chum devant tout le monde dans un party.

Elle s'est rapprochée de moi avant de poursuivre.

Sarah : Alors, ça va si mal que ça, votre affaire ? Est-ce que c'est parce que JP a enfin réalisé que tu n'étais qu'une agace ?

Moi (du tac au tac) : Non. C'est parce qu'on s'obstinait sur la meilleure façon de t'annoncer que Thomas trouvait que Charlotte Voyer *frenchait* mieux que toi.

Je savais que Laurie n'avait toujours pas publié sa photo compromettante, et je jugeais que le moment était bien choisi pour lancer la bombe.

Sarah : *Pff*! Penses-tu vraiment que je vais me laisser atteindre par tes fausses rumeurs de ratée ? Et que je vais croire que Thomas a succombé aux charmes d'une enfant groupie alors qu'il peut être avec une vraie femme comme moi ?

Je voyais toutefois dans son regard que j'avais réussi à y implanter un doute.

Moi (en sortant mon cellulaire et en lui montrant la photo en question) : Tiens. Une image vaut mille mots. Je crois que Thomas a enfin réalisé qu'il méritait mieux qu'une fille démente, hypocrite et malhonnête.

Sarah (en levant les yeux vers moi) : Tu cherches vraiment le trouble, hein ?

Moi : Non, Sarah. La seule chose que je veux vraiment, c'est que tu disparaisses de ma vie. Mais ça ne veut pas dire que je vais me laisser humilier et intimider sans me défendre. Ça, c'est mal me connaître.

Sarah : Tu ne gagneras jamais contre moi, minus.

Moi : Je ne cherche pas à gagner. Je veux juste que tu me foutes la paix. D'ailleurs, j'ai un petit conseil pour toi : si tu aimes vraiment Thomas et que tu espères qu'il te donne une autre chance, laisse-moi tranquille. Car contrairement à ce que tu penses, on est proches, lui et moi, et mon opinion compte pour lui.

J'ai tourné les talons et je suis partie en vitesse avant qu'elle s'aperçoive que mes mains tremblaient. J'ai beau jouer la tête forte devant elle, je te jure que cette fille-là me fait peur. Mais je crois que j'ai touché une corde sensible en faisant référence à Thomas. En tout cas, je l'espère.

Sur ce, je te laisse, car j'ai un exposé à terminer sur les pyramides d'Égypte.

Je t'aime, cœur d'artichaut !

Lou xox

Chapitre 5 :
Cendrillon et le prince des poètes

Le Blogue de Manu

Inscris un titre : Défilé d'enfer

Écris ton problème : Salut, Manu ! Je sais que je t'écris vraiment moins souvent qu'avant, mais c'est un peu la folie depuis le début de l'année scolaire. J'ai décidé de m'impliquer dans le comité du bal de finissants en plus du journal, et une fille de mon école (une nouvelle qui possède, genre, tous les talents, et qui est devenue la confidente et l'amie avec bénéfices d'Alex, le gars dont je suis éperdument amoureuse ; mais bon, ça c'est une autre histoire) m'a suppliée de participer à l'une des chorégraphies du défilé de mode. Le hic ? Je dois porter un maillot de bain une-pièce avec des motifs tachetés qui me donne l'air d'un léopard potelé. L'autre problème, c'est que je suis seule sur scène avec des filles qui dansent, et que ce sont les nunuches qui me dirigent. On a déjà fait une répétition, et ç'a été la catastrophe.

Comme l'éditeur en chef du journal étudiant veut que je fasse une série de reportages sur mon expérience, je me suis dit que je t'enverrais mon premier article pour avoir ton avis.

J'en profite aussi pour te demander des trucs pour me sentir plus à l'aise sur scène. Parce que jusqu'à maintenant, je ressemble plus à un tracteur malhabile qu'à un mannequin.

Merci pour ton aide!
Léa xox

Une première répétition éprouvante

Ceux qui me connaissent savent que mon pire cauchemar se résume pas mal à me pavaner devant l'école vêtue d'un maillot hideux. Cette scène apocalyptique se produira malheureusement en mars prochain, alors que je participerai à l'une des chorégraphies du défilé de mode de l'école. Non pas parce que j'ai la prétention de me prendre pour une mannequin, mais plutôt parce que je suis la seule fille de secondaire 5 assez naine pour me faufiler dans le une-pièce tacheté prêté gracieusement par une boutique.

L'équipe du journal m'a demandé de profiter de mon expérience pour vous relater les hauts et les bas de ma participation au défilé. Dernièrement, j'ai survécu de peine et de misère à la première répétition. J'ai réalisé que non seulement je n'avais aucune coordination, mais aussi que j'avais une mémoire très sélective qui refusait d'emmagasiner les informations qu'on me donnait.

« Va à droite ! Trois pas à gauche ! Marche d'un air déterminé ! Come on, Léa ! You own the stage ! » Pour comprendre ce dernier commentaire, j'ai dû consulter mon dictionnaire une fois rendue chez moi. J'ai éclaté de rire en lisant la traduction. Comme si je pouvais réellement prendre possession de la scène ! (À moins que ça compte de s'effondrer à plat ventre comme une tortue.) Bref, apportez vos Kleenex, car la chorégraphie à laquelle je participe risque de vous faire brailler de rire !

P.-S. Pour éviter de me montrer trop négative, je vous dirai toutefois que je suis entourée d'une équipe talentueuse et que, grâce à elle, j'ai espoir de mémoriser une partie de la chorégraphie d'ici le soir du défilé.

Léa Olivier

Manu répond à deux questions par semaine. Tu seras peut-être choisie...

À : Marilou33@mail.com
De : Léa_jaime@mail.com
Date : Vendredi 5 février, 18 h 29
Objet : Petit léopard va loin

Salut, Lou !
Alors, c'est demain que tu vois JP ? Comment te sens-tu ? Je sais que ça te rend nerveuse qu'il t'ait demandé une semaine supplémentaire de réflexion, mais dis-toi que le recul vous aidera à vous expliquer de façon plus franche et plus posée.

Je voulais aussi te dire que ton discours motivateur continue de faire son petit bout de chemin, et qu'après tes encouragements de mercredi sur Skype, j'ai fini par appeler (oui, oui, par téléphone !) Robin des Bois, hier soir. Visiblement, il aime ce mode de communication, et j'avais espoir qu'il soit moins intense de vive voix. Voici un résumé de notre discussion :

Voix masculine : Oui allo ?
Moi (en muant) : Allllooooooo !
Voix masculine : Euh, allo ?

J'ai toussé.

Moi : Salut, euh, est-ce que je peux parler à... euh...

Trou de mémoire. Bravo, épaisse.

Voix masculine : Robin ?
Moi : Oui, c'est ça !
Robin : C'est moi. Salut, Léa !
Moi : Ah ! Je ne m'attendais pas à ce que tu répondes.
Robin (en riant) : Pourtant, tu as appelé sur mon cellulaire !
Moi : Ah, ben oui. Regarde donc ça. Et, euh, tu m'as reconnue ? J'ai une voix si mémorable que ça ?
Robin : Non, mais comme ton numéro est enregistré dans mon téléphone, c'était indiqué que l'appel venait de toi.

Bruits de criquets. Sueur sur mon front. Au. Secours. *J'haïs* le téléphone.

Robin (en voulant détendre l'atmosphère) : Mais je t'avoue que j'ai d'abord cru à une hallucination.
Moi : Hein ? Comment ça ?
Robin : Ben là ! Léa Olivier qui m'appelle ? C'est un miracle !
Moi (sur la défensive) : Oh, euh, je suis désolée si je ne t'ai pas donné de nouvelles avant, mais, euh, avec ma grippe, j'ai pris beaucoup de retard à l'école et j'avais plein de choses à faire. Mais j'ai reçu toutes tes petites émoticônes.
Robin (en riant) : Relaxe, jolie Léa. Je disais juste ça parce que tu m'as dit que tu détestais les conversations *live*.
Moi : Et je crois que tu commences à comprendre pourquoi.

Robin : Au contraire. C'est l'interactivité qui nous permet de mieux nous connaître. Et je réitère que c'est pas mal plus le *fun* d'entendre ta voix que de fixer mon écran en attendant impatiemment un texto de ta part.

Moi : Et moi, je persiste à dire que c'est un moyen de communication archaïque qui me fait paraître encore plus nouille que je lui suis réellement.

Il a éclaté de rire.

Robin : Tu es encore plus drôle de vive voix. Et dis-moi, belle princesse, qu'est-ce qui me vaut l'honneur de ton appel ?

Moi : Euh, je ne morve plus.

Silence. Sueur dans mon dos.

Moi : Ce que je veux dire, c'est que je me sens plus présentable. Tu sais, la dernière fois qu'on s'était parlé, ou plutôt écrit, ben je t'avais dit que je te relancerais quand je me sentirais moins laide. Ben, c'est ça. Là, ça va mieux. J'ai encore un peu la voix enrouée, mais le reste va mieux, alors si on se voit, je n'aurai pas peur, genre, d'avoir une *chnoule* verte qui me pend au nez.

Es-tu vraiment en train de parler de mucus au gars que tu essaies de cruiser *pour te sortir l'autre de la tête ? Bra-vo.*

Robin : Tant mieux. Et dis-moi, quand aurai-je la chance de te revoir, belle Cendrillon ?

J'ai grimacé.

Relaxe. Pense aux commandements de Marilou. Tu dois apprendre à te laisser complimenter, même si tu trouves ça quétaine. Ou alors que tu préférerais que ça vienne de la bouche d'un autre. NON ! Ne pense pas à lui. Alex Gravel-Côté ne te mérite pas. Concentre-toi plutôt sur ses mauvais côtés, comme te l'a dit ta meilleure amie. Hum... C'était quoi, donc ? Ah oui ! Sa peur de l'engagement. À dix-sept ans, il faut le faire ! Quoi d'autre ? Hum... Sa nouvelle coupe de cheveux ? Non, ça, ce n'est pas vrai. En fait, tu le trouves encore plus beau qu'avant. Ouin, ça ne va pas fort, ton affaire.

Pense plutôt à tout ce qui vous sépare. Premièrement, il se tient avec José, qui est le gars le plus croche de l'univers. Et comme le dit le dicton : qui se ressemble s'assemble. Sans compter qu'il a sa Bianca, maintenant. Sa Bibi nationale, qui vient de s'acheter le manteau que tu reluquais et désirais depuis septembre, mais que tu ne peux pas t'offrir. Surtout pas avec tout ce que tu dois économiser pour participer au voyage en France.

Robin : Léa ?

J'ai alors réalisé que Robin parlait dans le vide depuis deux bonnes minutes et qu'il venait de me poser une question à laquelle il attendait une réponse.

Moi : Euh, la réception est mauvaise. Je n'ai pas entendu ce que tu m'as dit.

Robin : Qu'est-ce que tu penses de samedi ?
Moi : Comme journée de la semaine ? C'est cool, mais je préfère le vendredi, car le *week-end* ne fait que commencer et que le lundi est encore super loin.
Robin : OK... Donc tu préfères qu'on se voie demain ?
Moi : Ah ! Euh, j'avais mal compris la question. En fait... euh... c'est impossible pour moi.
Robin (déçu) : Ah. Pourquoi ?

Parce que j'ai prévu regarder les derniers épisodes de Riverdale *en boucle en m'empiffrant de chips sel et vinaigre tout en faisant un effort pour ne pas penser à un autre que toi.*

Moi : Parce que j'ai des plans que je ne peux pas annuler.
Robin : Samedi, alors ? Même si ce n'est que ta deuxième journée préférée de la semaine ?

Je sentais la sueur perler sur mon front. Même si tes commandements résonnaient dans ma tête, l'idée de me retrouver seule avec Robin et ses rimes douteuses m'angoissait au plus haut point. C'est là que j'ai eu un éclair de génie. Si je planifiais une sortie de groupe semblable à celle où nous nous étions rencontrés, lui et moi, ça ferait baisser mon stress d'un cran.

Moi (nonchalante) : Samedi, j'avais justement prévu sortir avec Félix, Zack et Lilas. Ce serait une bonne occasion de se revoir, non ?

Robin : Une première *date* accompagnée de ton frère et de ma sœur ? Je t'avoue que j'avais imaginé quelque chose d'un peu plus romantique.

Moi (avec un peu trop d'enthousiasme) : Ouais, mais d'un autre côté, dis-toi que ça enlève de la pression, et que si jamais tu me trouves insupportable, tu pourras m'éviter en jasant avec les autres.

Robin : Je ne crois pas que ce soit possible, princesse.

Inspire. Expire.

Moi : Sinon, je ne sais pas trop quand on pourrait se revoir, car avec toutes mes répétitions, toutes mes réunions et tous mes travaux, je t'avoue que mon assiette est déjà pas mal pleine...

Robin (en cédant) : OK, c'est bon. J'accepte la sortie de groupe. Pas parce que ça me tente, mais parce que c'est mieux que rien.

Moi : Cool ! Laisse-moi discuter des détails avec Félix, et je te reviens.

Robin : Par texto ?

Moi : Évidemment !

Robin : Super. D'ici là, je laisserai monter l'inspiration en t'écrivant des poèmes.

Moi : Oh. C'est vraiment gentil, mais ne te sens surtout pas obligé de les partager avec moi. Après tout, c'est personnel, ces affaires-là, et je tiens à respecter ton, hum, jardin secret.

Robin : Au contraire, jolie Léa. J'ai envie de m'ouvrir à toi et de t'offrir toute ma transparence.

Moi (mal à l'aise) : Euh, OK. À samedi, alors. Avec ton poème.

Misère.

J'ai raccroché en grimaçant, puis je suis allée frapper à la porte de Félix.

Félix : Je suis occupé.

Moi : C'est important. Il faut que je te parle.

Félix : Ça ne peut pas attendre ?

Moi : Non. C'est à propos de ta nouvelle blonde.

Il a aussitôt ouvert la porte. Il avait les yeux ronds et le visage blême.

Moi : Pourquoi tu fais cette face-là ? Je ne te surprends pas en train de fouiner sur des sites que tu ne devrais pas consulter, j'espère ?

Félix : Ark, non ! J'étais juste... inquiet. Pourquoi tu veux me parler de ma blonde ?

Moi : Pour rien. C'était un prétexte pour que tu ouvres.

Félix a poussé un long soupir de soulagement.

Moi : Ben voyons ! C'est donc bien mystérieux, ton affaire ! Elle n'est pas mariée, toujours ?

Félix : Ben non, niaiseuse. C'est juste le ton de ta voix qui m'a fait appréhender le pire. *Wassup* ? Qu'est-ce que tu veux ?

Moi : Sortir avec toi, Zack, Lilas et Robin samedi soir.

Félix : Robin ? Il n'est pas un peu vieux pour toi ?

Moi : On n'a que treize mois de différence, mais là n'est pas la question. J'ai besoin de toi pour nous chaperonner.

Félix : Je ne peux pas. J'ai déjà quelque chose de prévu samedi soir.

Moi : Annule-le. Ou invite ta mystérieuse nouvelle blonde.

Félix : C'est impossible, Léa.

Moi : *Come on*, Félix ! J'ai besoin de toi ! Je ne veux pas me ramasser toute seule avec lui. En tout cas, pas tout de suite. Il est trop intense.

Félix : Pourquoi tu sors avec, d'abord ?

Moi : Premièrement, je ne « sors » avec personne. Je ne l'ai même pas revu depuis la soirée du jour de l'An, mais il me harcèle, et j'ai promis à Marilou de lui donner une chance.

Félix : Qu'est-ce que Marilou a à voir là-dedans ?

Moi : Elle m'aide à me remettre de ma peine d'amour.

Félix : Quoi ? Ce n'est pas fini, ça ? Tu es pire que moi dans ma phase parisienne ! Reviens-en, la sœur !

Moi (en plissant les yeux et en me rapprochant de lui) : Tu es très mal placé pour parler, monsieur Je-ne-me-suis-pas-lavé-pendant-trois-mois-parce-que-Laure-m'a-brisé-le-cœur. Et si tu te souviens bien, c'est grâce à moi que tu n'es plus une larve ambulante. Alors tu me dois bien ça !

Félix (en esquissant un sourire machiavélique) : OK, mais ça risque de te coûter cher.

Moi : Euh, on ne peut pas juste mettre ça sur le compte de l'amour fraternel ?

Félix : Non. Je veux que tu sortes les vidanges à ma place pendant un mois.

Moi : Deux semaines.

Félix : Trois. C'est mon dernier mot.

Moi (en lui tendant la main) : *Deal*. De toute façon, je le fais déjà à ta place une fois sur deux.

Félix : OK. *Scram*, maintenant. J'ai des choses à faire.

Moi : Peux-tu juste me dire ce que tu prévois comme activité question que je prévienne Robin ?

Félix (en haussant les épaules) : On ira dans un bar.

Moi : Dois-je te répéter que j'ai seize ans et que j'ai l'air d'en avoir treize ?

Félix : On a juste à aller à celui près de mon cégep. Les gars me connaissent là-bas et ils ne cartent personne.

Moi : Et les parents ?

Félix (en criant pour qu'ils l'entendent) : Maman ? Papa ? Est-ce que c'est correct si je traîne la petite samedi soir dans une fête d'anniversaire proche du cégep ? Je vous promets de vous la ramener en un seul morceau.

Mes parents sont apparus dans sa chambre deux minutes plus tard.

Mon père : La fête de qui ?

Félix (en m'envoyant un regard amusé) : Robin. C'est un ami à moi qui a un œil sur Léa.

Moi : Tais-toi, niaiseux !

Ma mère : Ce n'est rien pour rassurer ton père, ça, Félix.

Félix : Pas de stress, voyons ! Je pense juste que ça ferait du bien à notre cadette nationale de se faire draguer et d'oublier son moron de secondaire 5.

Ma mère m'a envoyé un regard inquisiteur. Je voulais tuer Félix. Je ne voyais pas en quoi son intervention suicide allait m'aider.

Mon père : Ta sœur est trop jeune pour sortir avec vous.

Moi : Euh, est-ce que je suis aussi trop jeune pour parler ?

Ma mère (en souriant) : On t'écoute.

Moi (en commençant mon plaidoyer) : Papa, je te jure que tu n'as pas de souci à te faire. J'ai juste envie de changer d'air et de m'amuser. Et je vous promets d'être sage. Je sais que j'ai dérapé à l'automne, mais je me suis rattrapée par la suite, non ? C'est signe que je suis digne de confiance.

Mon père : Et c'est qui, ce Robin ?

Moi : Personne. Félix raconte n'importe quoi.

Félix (en souriant) : C'est le frère de Lilas, la blonde de Zack. Il trouve que Léa est belllllle ! Il lui écrit même des poèmes.

Moi (en sursautant) : Comment ça tu sais ça, toi ?

Félix : Lilas est tombée sur l'un de ses textes larmoyants et elle l'a fait lire à Zack, qui m'a tout raconté.

Moi (outrée) : Elle est donc bien indiscrète, elle !

Félix (en haussant un sourcil) : Ouin. Tu es pas mal sur la défensive pour une fille qui ne veut rien savoir de lui !

Moi : C'est le principe qui me choque ! Lilas est la sœur de Robin. Elle n'a pas d'affaire à fouiller dans ses trucs, et encore moins à utiliser ce qu'elle trouve pour se moquer de lui. C'est comme si je trouvais ton journal intime et que je publiais des extraits sur Facebook !

Félix : Ben, à sa défense, je ne me suis jamais empêché de lire le tien.

Je suis devenue écarlate, et Félix a aussitôt éclaté de rire.

Félix : Relaxe, la petite. Je te niaise.

Il s'est alors tourné vers mon père.

Félix : La morale de l'histoire, papa, c'est que Robin est un poète et que Léa le trouve trop intense.

Ma mère : Pourtant, il semble plutôt romantique.

Mon père (en haussant un sourcil) : Es-tu sérieuse ?

Ma mère : Oui. Je trouve ça inspirant que ma fille soit la muse d'un garçon. Ça fait preuve d'une belle sensibilité.

Mon père : Pff ! Tu dis juste ça parce que ça te fait penser à ton chanteur rock.

Moi : Qui ?

Mon père : Le gars que ta mère fréquentait avant moi.

Moi : Oh ! Je ne connaissais pas cette histoire. Qu'est-ce qu'il est devenu ?

Mon père (avec un sourire fier) : Je ne sais pas. Il a pris le bord dès qu'elle m'a rencontré.

Ma mère : Euh, tu résumes TRÈS mal la situation !

Mon père : Du tout ! La preuve, c'est que tu as quitté l'un de ses concerts pour me rejoindre sur le belvédère et qu'on s'est embrassés ce soir-là.

Félix : Ewww ! *Too much information.*

Ma mère : N'empêche que c'est agréable de sentir qu'on inspire quelqu'un, et Léa ne mérite rien de moins que ça.

Moi : Est-ce que ça veut dire que je peux accompagner Félix, ça ?

Mon père : Oui, à condition que ton frère te supervise et que vous soyez de retour à 11 heures.

Félix : C'est bien trop tôt, papa.

Mon père : Minuit. C'est mon dernier mot.

J'ai acquiescé et mon père est redescendu au salon pour regarder un reportage sur les invasions barbares. Je venais à peine de regagner ma chambre quand ma mère a frappé à la porte.

Ma mère : Je peux te parler ?

Moi (en souriant) : De ton chanteur rock ?

Ma mère (en me faisant une grimace) : Il était vraiment beau, tu sauras !

Elle a fermé la porte derrière elle et s'est assise sur mon lit.

Moi : Qu'est-ce qu'il y a ?

Ma mère : À toi de me le dire.

Moi : Je ne comprends pas.

Ma mère : Le commentaire de Félix à propos du « moron de secondaire 5 »... Il parlait d'Alex, c'est ça ?

Moi (en soupirant) : Qui d'autre ?

Ma mère : Comment ça se passe avec lui ?

Moi (en haussant les épaules) : Il n'y a pas vraiment d'évolution depuis la dernière fois que je t'en ai parlé. Je l'évite parce que je sais que c'est ce qu'il faut que je fasse pour passer à autre chose, mais notre amitié me manque encore beaucoup. Je m'efforce de me changer les idées avec mes autres amis, mais personne ne peut remplacer la complicité qu'on avait.

Ma mère : Vous pourrez peut-être la retrouver un jour, ma puce.

Moi : Pour ça, il va falloir que je me sente complètement immunisée. Et je n'en suis pas encore rendue là.

Ma mère : Est-ce que tu te sens encore aussi triste ?

J'ai réfléchi un instant.

Moi (un peu surprise) : Moins souvent, et moins longtemps. Ça doit être parce que je suis super occupée.

Ma mère : Ou parce que le temps fait son œuvre. Je sais que quand on est en plein dedans, on a l'impression qu'on ne se remettra jamais d'une peine d'amour, mais on finit toujours par remonter la pente. La preuve, c'est que tu l'as fait avec Thomas.

J'ai souri.

Moi : Merci, maman.

Ma mère (en se levant) : En passant, Ghislaine m'a appelée. Elle m'a dit que le confinement de Mégane lui avait fait du bien et que Marie-Amande ne l'avait pas contactée de la semaine. Bref, elle serait prête à revenir samedi pour son tutorat.

Moi : Cool.

Ma mère : Et je lui ai promis que tu ferais ton possible pour la convaincre de couper les ponts définitivement.

Moi : Tu peux compter sur moi.

Ma mère : Merci, ma grande.

Moi : Merci à vous deux, maman.

Ma mère : De ?

Moi : De ne pas avoir trop paniqué quand j'ai traversé ma période de rébellion à l'automne. Et de me faire encore confiance malgré tout.

Ma mère : Je sais que ça te semble abstrait comme principe, mais ton père et moi avons déjà eu seize ans, nous aussi. Alors on est quand même bien placés pour te comprendre.

Elle est sortie et j'ai terminé mes devoirs avant de m'endormir, le cœur un peu plus léger. Ma mère m'a fait réaliser que l'intensité de ma douleur et de ma déception s'estompait tranquillement et que ton travail acharné commençait à porter ses fruits.

J'en ai d'ailleurs eu la preuve lors d'un rare moment de complicité avec Alex alors que j'étais en train de réchauffer mon lunch dans la cafétéria ce midi.

Alex (en se postant derrière moi) : Combien pour échanger ton spaghetti contre mon sandwich aux œufs ?

Moi (en souriant) : Trois millions de dollars.

Alex (en se grattant la tête) : Hum. À ce prix-là, je ferais mieux d'aller me chercher une portion de pâté chinois à la cantine.

Moi : Ça, c'est parce que tu n'as jamais goûté à la sauce de ma mère.

Alex (en me défiant du regard) : C'est une invitation ?

Moi (en plissant les yeux) : Non !

La sonnette du micro-ondes a retenti, m'indiquant que mon repas était prêt. Alex en a profité pour se faufiler devant moi, ouvrir la porte et prendre une cuillérée de sauce.

Moi : Eille ! Voleur !

Alex (en écarquillant les yeux) : *Oh my God !* OK, j'accepte ton offre.

Moi : Et moi, j'accepte les chèques.

Alex (en faisant une face de chien piteux) : Est-ce que tu acceptes aussi les versements de cinq sous sans intérêts ?

Moi (en riant) : Oublie ça.

Je me suis avancée pour prendre mon lunch, mais il m'a bloqué le chemin.

Alex (à quelques centimètres de moi) : S'il te plaît, Rongeur ! Fais ça pour moi !

J'ai respiré son odeur et j'ai réalisé que même si je n'y étais pas encore insensible, elle ne me faisait plus perdre tous mes moyens comme c'était le cas il y a quelques semaines à peine.

Moi (en riant) : Désolée, monsieur le Président, mais c'est non.

J'ai pris mon plat et j'ai rejoint Jeanne et Éloi en souriant.

Éloi (en m'observant) : Tu as une drôle de face.
Moi : Ça s'appelle de la sérénité.
Jeanne (en levant son jus) : *I'll drink to that !*
Moi : Hein ?

Éloi et Jeanne ont éclaté de rire, et Bianca est venue nous interrompre.

Bianca : Léa, qu'est-ce que tu fais ? On t'attend depuis dix minutes !
Moi : Pourquoi ?

Bianca : Pour la répétition de ta chorégraphie, c't'affaire !

Moi : Oups. Désolée. Je n'avais pas noté la bonne heure.

Bianca s'est assise à côté de moi et m'a regardée d'un air sérieux.

Bianca : C'est un appel à l'aide, c'est ça ?

Moi : Pardon ?

Bianca : Ton retard, est-ce une autre façon de témoigner de ton mécontentement ? Tu sais, Léa, si tu es malheureuse, tu peux le communiquer de façon plus saine.

Moi (confuse) : De quoi tu parles ?

Bianca : De ton article dans le journal étudiant.

Moi : Ah ! Ça, c'était juste une description très honnête de l'horreur que je vis lorsque je me retrouve sur la scène d'un défilé de mode.

Bianca : Ce n'est pas un regard très positif, Léa.

Moi (en prenant une bouchée de spaghetti) : À ma défense, je ne t'ai jamais caché que l'idée de parader vêtue d'un maillot de tigresse obèse ne m'enchantait guère.

Éloi : Si je peux me permettre d'intervenir, Éric et moi avons donné carte blanche à Léa pour sa couverture de l'événement. Et je trouve que c'est tout à son honneur d'opter pour l'autodérision.

Bianca : Mais je ne pensais pas que tu vivais ça comme une torture !

Moi : Je pense que tu interprètes mal mes mots, Bianca. Quand je dis que mon expérience en tant que mannequin est éprouvante, je n'enlève rien au projet. Au contraire, je crois que c'est une bonne façon de financer les activités étudiantes.

Bianca : Alors pourquoi cherches-tu à te défiler ?

Jeanne : Ha ! Beau jeu de mots !

Bianca l'a grondée du regard.

Moi : *Mea Culpa*. J'étais vraiment certaine que la répétition était à 16 heures.

Bianca : Ç'a changé, car le *coach* de basket a imposé un entraînement à ses joueurs et qu'apparemment, leur sport est plus important que notre projet.

Moi : Désolée, Bianca. Personne ne m'avait avertie.

Bianca : Je ne peux pas dire que je sois surprise. Katherine a la tête ailleurs, ces temps-ci. Mais il n'est pas trop tard. On t'attend.

Moi : Est-ce que je peux prendre le temps de manger, au moins ?

Bianca (en souriant nerveusement) : Léa, il nous reste quarante minutes pour essayer de te convaincre que tu n'as rien à envier à Cara Delevingne. Penses-tu vraiment qu'on a le temps pour une pause spaghetti ?

J'ai soupiré, puis j'ai refermé mon lunch avant de le tendre à Alex, qui était assis avec ses amis du basket.

Alex (en riant, un peu surpris) : Est-ce que tu as pitié de moi à ce point-là ?

Moi (en haussant les épaules) : *Nope.* Mais Bibi est assurément ton ange gardien !

Alex (en me lançant un regard perplexe) : Hein ?

Moi (en souriant) : Laisse faire. Bon appétit !

J'ai tourné les talons et j'ai rejoint les nunuches au gymnase. Heureusement pour moi, Katherine assistait aussi à la répétition.

Marianne (en me voyant entrer, le sourire aux lèvres) : Notre star du jour est enfin arrivée !

Moi (en regardant derrière moi) : Qui ?

Marianne : Toi, c't'affaire !

Moi (méfiante) : Ah, OK. Je suis désolée pour le retard.

Marianne : Ce n'est pas de ta faute. On a juste eu un petit souci de communication à l'interne. Tu n'as qu'à te placer au fond pour le début de l'enchaînement.

J'ai obéi, puis elle s'est approchée de moi, le sourire aux lèvres.

Marianne : En passant, j'ADORE ta jupe. Elle fait ressortir tes jambes.

J'ai écarquillé les yeux, puis je l'ai observée avec méfiance. Mais à ma grande surprise, elle avait l'air sincère.

Moi (perplexe) : Euh, merci.
Marianne (toujours aussi souriante) : J'aime tellement le style *vintage*. Et avec tes Doc Martens, le look est débile. Tu ressembles à une jeune mannequin un peu désinvolte qui se baladerait dans les rues de New York.

J'ai souri d'un air incrédule. Marianne portait une jupe à taille haute et un chandail court rayé qui mettait sa silhouette en valeur et qui me donnait l'air d'un mammouth à ses côtés. Il fallait vraiment qu'elle soit follement amoureuse d'Oli pour inventer des images pareilles.

Moi : Crois-moi, je n'ai rien d'une top modèle. La preuve, c'est que je suis incapable d'aligner deux pas sur la scène sans trébucher.
Marianne (en marchant vers moi et en prenant ma main) : Ne t'en fais pas, on va travailler ça ensemble.

Et c'est exactement ce qu'elle a fait. Elle m'a dirigée d'une main de maître pendant plus d'une heure, enchaînant les compliments et les blagues. Même si je reste très sceptique quant aux motifs et à la sincérité de sa nouvelle attitude, son *coaching* m'aura au moins permis de maîtriser un peu mieux certaines séries de pas sans *m'enfarger* sur les lignes du plancher.

Après la répétition, j'ai rejoint Katherine, qui était assise derrière un petit bureau et qui rangeait ses notes.

Moi : Alors ? Est-ce que tu penses que je suis une honte nationale ?

Katherine (un peu distraite) : Non.

Moi : C'est peut-être naïf de dire ça, mais j'avais l'impression de ne pas être aussi poche que la dernière fois, aujourd'hui.

Katherine (en gardant les yeux rivés sur ses papiers et en parlant sans grande conviction) : C'est sûr qu'avec la pratique, tu ne peux que t'améliorer.

Moi : Je ne pensais jamais dire ça un jour, mais je t'avoue que l'aide de Marianne m'est devenue assez précieuse.

Katherine a continué de ranger ses feuilles sans rien dire.

Moi : Kath ? Tu m'écoutes ?

Katherine (en levant les yeux vers moi, visiblement blessée) : Ben c'est ça ! Dis-le donc que Marianne est ta nouvelle meilleure amie !

Moi (en éclatant de rire) : Euh, tu me niaises, Kath ? Tu sais bien que je me méfie d'elle autant que d'une moufette et que ce n'est pas trois compliments qui vont effacer des années d'intimidation !

Elle a baissé les yeux, un peu honteuse.

Katherine : Je m'excuse. Je suis tellement bébé. Mais son attitude me gosse au plus haut point.

Moi : *Come on*, Kath ! Tu sais bien qu'elle agit comme ça simplement pour obtenir ce qu'elle veut...

Katherine : Exact ! Et son obsession pour Oli me rend folle, Léa. J'essaie d'être forte en me raisonnant et en me faisant des *pep talks*, mais je ne digère pas ce qui se passe. Marianne et moi, on se connaît depuis super longtemps. On a déjà été meilleures amies. Elle m'a accompagnée dans un camp quand j'avais dix ans, et je l'ai consolée quand son labrador est mort. C'est elle que j'ai appelée la première fois que j'ai eu mes règles, et c'est toujours moi qui l'ai aidée à régler ses chicanes avec Maude. On a beau s'être éloignées depuis quelques années, il me semble qu'elle me doit un peu de loyauté, non ?

Moi : Je suis d'accord.

Katherine (en poursuivant son envolée) : Ça ne se fait pas de fréquenter Oli comme si de rien n'était alors qu'elle sait très bien à quel point je tripe sur lui. Elle pourrait au moins m'en parler ! Mais non ! Madame préfère jouer à l'hypocrite en m'ignorant et en essayant de me voler mon amie !

Moi (en posant une main sur son épaule) : Kath, il va pleuvoir des grenouilles le jour où Marianne et moi deviendrons *best*, alors tu n'as aucun souci à te faire à propos de ça. Je veux juste profiter un peu de son hypocrisie pour éviter d'avoir l'air folle devant trois cents personnes.

Katherine a poussé un soupir avant de poursuivre.

Katherine : Je le sais. Et je te comprends. C'est la situation qui me semble injuste. Mais bon… c'est peut-être juste un retour d'ascenseur. Genre la loi du karma.
Moi : Qu'est-ce que tu veux dire ?
Katherine : Ben là, ce n'est pas comme si j'avais toujours été un exemple de franchise et de loyauté. J'ai *frenché* José pendant qu'il sortait avec Maude, et je suis tombée amoureuse d'Olivier alors qu'il était en couple avec toi. Je mérite ce qui m'arrive.
Moi : Dans le cas de José, tu as fait une erreur, et je sais à quel point tu l'as regrettée. Pour ce qui est d'Oli, tu n'as pas fait exprès d'avoir des sentiments pour lui, Kath. Et surtout, tu n'as jamais agi comme si ça te passait dix pieds par-dessus la tête.
Kath : Je dirais même que la culpabilité et les remords m'empêchaient de dormir la nuit.
Moi : Tu vois ? Alors arrête de te comparer à Marianne. Mais si son attitude te blesse autant, pourquoi tu ne lui en parles pas ?

Katherine (en haussant les épaules) : Parce que ça ne donnerait rien.

Moi : Au contraire. Ça te libérerait d'un poids de lui dire ce que tu as sur le cœur.

Katherine : Tu as peut-être raison. Merci, Léa.

Moi (en la prenant par les épaules) : Et tu sais ce qui te ferait encore plus de bien ?

Katherine : Quoi ?

Moi : Une soirée chez nous. On se commande de la pizza, on se met en pyjama, on regarde *Riverdale* et on *bitche* contre Alex et Oli.

Katherine (en souriant) : Bonne idée !

Voici donc où j'en suis. Je dois d'ailleurs te laisser parce que Kath va arriver d'une minute à l'autre. Je t'aime et je t'envoie plein d'ondes positives pour demain. Je suis certaine que tout va bien se passer !

Léa xox

📱 06-02 19 h 27
....

Salut, Léa! As-tu deux minutes?

📱 06-02 19 h 27
....

Allo, Lou! J'allais justement te texter! Comment ça s'est passé avec JP?

📱 06-02 19 h 28
....

Mieux que je pensais!

📱 06-02 19 h 28
....

Raconte!

📱 06-02 19 h 28
....

On s'est rejoints au casse-croûte Chez Linda ce midi. Pas super romantique, mais je me suis dit que ça détendrait l'atmosphère de discuter de notre couple devant un «deux-œufs-bacon».

📱 06-02 19 h 29
....

Tout à fait d'accord.

📱 06-02 19 h 30
. . . .

Quand il est entré, on dirait que mes doutes, mes peurs et mes remises en question se sont envolés en fumée. Même si notre avenir est incertain, j'ai tout de suite réalisé qu'il m'avait manqué, et que jamais je ne pourrais passer mes derniers mois ici sans lui. Comme je le sentais un peu hésitant, j'ai décidé de jouer franc-jeu. Je lui ai dit que j'étais sincèrement désolée d'avoir été si distante et froide au cours des derniers mois et que notre pause m'avait fait prendre conscience de mon égoïsme. Genre qu'il était le chum le plus compréhensif au monde et que j'aurais dû partager mes angoisses avec lui au lieu de le tenir à l'écart et de penser à mon nombril.

📱 06-02 19 h 31
. . . .

Wow! Très mature comme discours.

📱 06-02 19 h 31
. . . .

Il a eu l'air tout aussi surpris que toi de m'entendre dire tout ça. Je lui ai aussi promis qu'à l'avenir, je serais plus transparente avec lui au lieu de me refermer comme une huître. Il en a alors profité pour me demander si j'étais certaine de vouloir être dans une relation sérieuse avec lui.

▯ 06-02 19 h 31

Et tu lui as répondu quoi?

▯ 06-02 19 h 32

Que je ne savais pas ce que l'avenir nous réservait, mais que j'étais sûre que j'avais envie d'être avec lui. Que je voulais vivre dans le moment présent sans me casser la tête à propos du reste.

▯ 06-02 19 h 32

Est-ce qu'il a été satisfait par ta réponse?

▯ 06-02 19 h 33

À ma grande surprise, oui. Il s'est comme radouci, et il m'a dit qu'il avait aussi beaucoup réfléchi, et qu'il se trouvait intense de m'avoir mis autant de pression. Que si on s'aimait, tout le reste allait se placer tout seul.

▯ 06-02 19 h 33

Wow. Et après?

▯ 06-02 19 h 34

On a partagé notre bacon et nos saucisses, on s'est raconté dans le détail ce qu'on avait fait de nos dernières semaines et on s'est collés. C'est comme si le break avait plutôt servi de période de développement personnel.

📱 06-02 19 h 34

C'est cool, non?

📱 06-02 19 h 34

Oui. J'espère juste que nos questionnements existentiels ne reviendront pas nous hanter.

📱 06-02 19 h 35

Lou, six mois, c'est long. Il peut se passer mille et une choses d'ici là. JP peut même enfin réaliser que la vie existe à l'extérieur des frontières du village.

📱 06-02 19 h 35

Ha! Tu me donnes espoir! Ça réglerait pas mal tous nos problèmes. Mais pour l'instant, je compte profiter du fait qu'on vive au même endroit. Il s'en vient d'ailleurs regarder un film chez nous.

📱 06-02 19 h 36

Ouuuuuh!

📱 06-02 19 h 36

Ne te fais pas trop d'idées; mon père et mon petit frère sont là.

📱 06-02 19 h 36

Je suis contente que les choses se placent, Lou.

📱 06-02 19 h 36

Moi aussi! 😃 Oh! J'allais oublier un potin juteux: JP m'a aussi raconté que Thomas avait reçu la visite de Sarah, et qu'elle avait eu le culot de lui faire une crise à propos de Charlotte, mais qu'il lui avait fermé la porte au nez!

📱 06-02 19 h 37

Wow! Donc ils ne sont pas revenus ensemble?

📱 06-02 19 h 37

Non! Laurie m'a même raconté que Charlotte lui avait dit qu'elle et Thomas avaient prévu une sortie au cinéma en fin de semaine!

📱 06-02 19 h 37

Cool! Même si c'est toujours un peu bizarre d'imaginer Thomas avec une autre, je préfère de loin que ce soit Charlotte plutôt que Sarah. Et Laurie, comment va-t-elle ?

📱 **06-02 19 h 38**
....

Mieux. Et plus féministe que jamais !

📱 **06-02 19 h 38**
....

Cool. Elle mérite tellement mieux que Jonathan-le-crosseur.

📱 **06-02 19 h 38**
....

Et toi, tellement mieux qu'Alex-le-pissou !

📱 **06-02 19 h 38**
....

Je le sais. C'est d'ailleurs pour ça que je m'apprête à rejoindre Robin, le prince des poètes.

📱 **06-02 19 h 39**
....

Accompagnée de trois chaperons...

📱 **06-02 19 h 39**
....

Bah. Ça va détendre l'atmosphère et l'empêcher de me réciter du Rimbaud dans le métro.

▢ 06-02 19 h 39

Es-tu nerveuse?

▢ 06-02 19 h 39

Non. J'imagine que c'est l'avantage de faire une sortie avec un gars qui ne me donne pas de palpitations cardiaques.

▢ 06-02 19 h 40

Laisse ton sarcasme à la maison et sois ouverte aux possibilités, OK?

▢ 06-02 19 h 40

Je vais faire mon gros possible.

▢ 06-02 19 h 40

Et ne capote pas s'il décide de te réciter quelques vers.

▢ 06-02 19 h 40

Je vais essayer.

▢ 06-02 19 h 41

Et frenche-le si l'occasion se présente!

📱 **06-02 19 h 41**
....

J'en doute fort.

📱 **06-02 19 h 41**
....

Léa!

📱 **06-02 19 h 41**
....

OK, OK. Je te promets d'être de bonne foi.

📱 **06-02 19 h 42**
....

Et de ne pas penser à Alex?

📱 **06-02 19 h 42**
....

À qui?

📱 **06-02 19 h 42**
....

Très bien. Bonne soirée!

📱 **06-02 19 h 42**
....

Toi aussi! Salue JP de ma part! xx

À : Jeanneditoui@mail.com
De : Léa_jaime@mail.com
Date : Dimanche 7 février, 01 h 19
Objet : BADABOUM !

Jeanne ! Je capote !! Je suis complètement sous le choc, et il faut absolument que j'en parle à quelqu'un, mais tout le monde dort ! J'ai même osé appeler sur le cellulaire de Marilou, mais évidemment, elle ne répond pas.

Comme tu sais, ce soir, je sortais avec mon frère, son ami Zack, sa blonde Lilas, et son frère Robin le poète. Vers vingt heures, j'ai réprimé une envie folle d'enfiler mon pyjama en flanelle et de me coucher en boule dans mon lit, et je me suis forcée à mettre mon *skinny* jean préféré et mon nouveau top rayé. J'ai attaché mes cheveux en chignon, parce que ma mère me dit souvent que ça me vieillit, j'ai mis un peu de mascara et j'ai rejoint Félix au rez-de-chaussée. Il avait l'air nerveux.

Félix (en consultant son cellulaire) : Bon, te voilà enfin ! Tu es tellement lente !
Moi (en haussant les sourcils) : Euh, relaxe, chose. C'est toi-même qui répètes toujours qu'avant neuf heures, c'est mort partout.
Félix : Ouais, mais on doit passer chercher les autres chez Lilas, qui habite à l'autre bout du monde.

Moi (sarcastique) : C'est l'amour qui te rend si joyeux ?

Mon père est alors apparu devant nous.

Mon père : Si on récapitule...

Moi (en l'interrompant) : Je serai sage. Félix surveillera chacun de mes mouvements, et je serai de retour avant les douze coups de minuit. Sans quoi, monsieur Bonheur se transformera en citrouille.

Mon père m'a lancé un regard inquisiteur.

Moi : Je parle de ton aîné qui incarne la joie de vivre ce soir.

Félix (en soupirant) : Arrête donc de chialer. J'ai annulé tous mes plans pour toi.

Mon père : Arrêtez de vous disputer.

Il m'a alors regardée d'un drôle d'air.

Mon père (en pointant mon visage) : C'est quoi, ça ?

Moi : Euh, ma face ? Tu devrais la connaître. Ça fait presque dix-sept ans que tu la regardes.

Mon père : Non ! Je parle de ce qu'il y a sur tes yeux !

Ma mère (en arrivant à la rescousse) : Ta fille a mis un peu de maquillage et elle est superbe.

Mon père (en fronçant les sourcils) : Et pourquoi est-ce qu'on voit son nombril ? Si ses vêtements sont rendus trop petits, il faut l'emmener magasiner !
Ma mère (en riant) : Parce que c'est beau, chéri !

J'ai fait un sourire reconnaissant à ma mère. Ses connaissances accrues des tendances de la mode me permettent d'avoir un peu répit, et surtout une alliée contre mon père, qui peut facilement vivre pendant dix ans en portant les mêmes pantalons et trois t-shirts.

Félix : Bon, il va falloir y aller si vous voulez que je vous ramène Cendrillon à l'heure.

J'ai roulé les yeux.

Ma mère (en nous embrassant) : Amusez-vous !
Mon père : Et soyez prudents.
Félix et moi : Oui, papa !

Mon frère a conduit jusque chez Lilas en maudissant chaque voiture qu'il croisait sur sa route et en lançant souvent des regards inquiets vers son cellulaire.

Moi : Est-ce que tout va bien ?
Félix : Oui, mais je trouve que les agents de la SAAQ sont trop généreux. La moitié des automobilistes sont trop

andouilles pour conduire et n'auraient jamais dû obtenir leur permis.

Moi : Je te sens stressé, Félix.

Félix (en haussant les épaules) : Ça m'énerve de devoir te conduire partout.

Moi : Relaxe. Kath devrait avoir son permis d'ici la fin avril. Elle pourra prendre la relève.

Son cellulaire a vibré. Il a consulté son texto d'un air troublé.

Moi : Tu es mal placé pour chialer contre les autres alors que tu textes au volant. On ne t'a jamais dit que c'était super dangereux de faire ça ?

Félix s'est contenté de serrer la mâchoire.

Moi : OK, sérieusement Félix, qu'est-ce qui se passe ? Je ne t'ai pas vu dans cet état depuis la défaite crève-cœur des Canadiens en séries, il y a quatre ans.

Félix : C'est... ma nouvelle blonde. Elle est fâchée contre moi.

Moi : Pourquoi ?

Félix : Parce que ma petite sœur m'a forcé à changer nos plans et que ça complique ma vie.

Moi : Tu n'avais qu'à l'inviter, Félix. Ça m'aurait fait plaisir de la rencontrer.

Félix : Ce n'est pas aussi simple.

Moi : Ben là ! C'est quoi, le problème ? As-tu honte de moi ?

Félix : Oui, mais ce n'est pas juste ça.

Moi : Ta blonde mesure sept pieds ?

Félix : Tellement pas !

Moi : Elle a trois yeux ?

Félix : *Nope*.

Moi : Pas de dents ?

Félix : Ark !

Moi : Elle est trop jeune ?

Félix : Pff. Non.

Moi : Trop vieille, alors ? Ce n'est pas Ghislaine, toujours ?

Félix a finalement éclaté de rire.

Félix : T'es conne !

Moi : C'est toi qui es con de vivre ta relation en cachette.

On s'est finalement garés devant un duplex en briques brunes orné de décorations de Noël. Zack, Lilas et Robin sont sortis en vitesse et ont couru jusqu'à notre voiture.

Lilas (en se frottant les mains) : Ah ! Il fait tellement froid ce soir !

Zack (en s'assoyant à côté d'elle et en plaçant un bras autour de ses épaules) : Je vais te réchauffer, mon amour.

Robin (en prenant place à côté de lui et en me souriant, faisant aussitôt apparaître ses deux adorables fossettes) : Salut, vous deux !

Il était plus *cute* que dans mon souvenir. Ça compensait un peu pour le reste.

Robin (en me regardant intensément) : Réalises-tu que ça fait un mois que je ne t'ai pas vue ?

Moi (mal à l'aise) : Ah ouais ? Déjà ?

Robin : Oui. Je n'oublierai jamais la date.

Moi : C'est sûr que le jour de l'An, c'est difficile à oublier. Parlant de ça, vous direz à vos parents qu'il commence à être un peu tard pour les décorations de Noël.

Lilas (en soupirant) : Je sais, mais les propriétaires du rez-de-chaussée refusent de les enlever sous prétexte que ça met du bonheur dans leur cœur.

Moi : C'est vrai que c'est beau.

Lilas (en fronçant les sourcils) : Oui, mais réalises-tu l'ampleur du gaspillage énergétique ?

Moi : Euh... J'avoue que je n'avais pas pensé à ça.

Lilas : Ça, c'est propre à notre société. Tout le monde pense à son petit nombril sans se soucier de l'environnement.

Moi (en lançant un regard de travers à Félix, qui n'avait pas l'air de suivre la discussion) : Je suis désolée, Lilas. Je ne voulais pas t'insulter.

Zack : Tu es tellement belle quand tu défends les causes qui nous tiennent à cœur. J'ai trop hâte d'emménager avec toi et de construire notre potager dans le salon.

Du coin de l'œil, j'ai aperçu Félix qui roulait les yeux.

Moi : Vous déménagez bientôt ?

Lilas : En juillet seulement. Ça donnera le temps à Zack d'éliminer toutes les substances animales de son alimentation.

Moi (en me tournant vers Zack et en écarquillant les yeux) : QUOI ? Ça t'arrive de tricher ?

Zack (en rougissant) : J'ai un faible pour les hot-dogs.

Moi (en faisant un effort pour m'intéresser à Robin) : Et toi ? Es-tu aussi végétarien ?

Robin : *Vegan*, comme le reste de la famille.

Moi : Wow. Ce ne doit pas être facile de manger au resto.

Robin : Beaucoup plus qu'avant. Il y a plein d'endroits excellents à Montréal. D'ailleurs, je te ferai découvrir mon resto préféré la prochaine fois qu'on se verra.

Moi : Euh, OK.

Lilas : Aimes-tu le seitan ?

Moi : Le quoi ?

Lilas : Le s-e-i-t-a-n. C'est un aliment à base de blé qu'on utilise souvent pour remplacer la viande. C'est *tellement* savoureux. Pas vrai, Zack ?

Zack : Mets-en ! Surtout quand tu le cuisines avec du curcuma.

J'ai lancé un regard de travers à Félix en retenant un rire, mais ce dernier était encore plongé dans la lecture d'un message texte.

Moi : Félix ? Ça va ?
Félix (en rangeant son cellulaire et en soupirant) : Ça irait mieux si mes passagers arrêtaient de me vanter les mérites des protéines végétales.
Zack (en riant) : Désolé, *bro*.

Lorsque nous sommes arrivés au bar situé près de leur cégep, Félix et Zack ont fait une accolade au *bouncer*, qui nous a laissés entrer sans même consulter nos cartes d'identité.

Moi (en donnant un coup de coude à mon frère) : Ouin. Je vois que tu passes pas mal de temps ici.
Félix (en souriant) : C'est l'hiver. Les activités extérieures sont limitées. Tu verras, ça deviendra aussi ta deuxième demeure quand tu fréquenteras mon cégep.
Moi : Qu'est-ce qui te fait croire que c'est là que je vais étudier ?

Félix : Parce que c'est l'un des meilleurs en arts et que ma réputation me précède. Je suis *awesome*, la sœur. Tu devrais en profiter.

J'ai roulé les yeux avant de l'observer saluer des gens aux quatre coins du bar. Il n'y a pas à dire, mon frère est toujours aussi populaire.

Robin (en surgissant de nulle part et en me tendant une fleur en plastique) : C'est pour toi, princesse.
Moi (surprise) : Wow ! Où est-ce que tu as déniché ça ?
Robin (en désignant un des serveurs) : J'ai mes contacts.
Moi : J'en déduis que tu fréquentes aussi beaucoup cet endroit ?
Robin : Comme tous les autres élèves du cégep !
Moi : Ta sœur étudie là aussi ?
Robin : Oui. Elle est dans le même programme que Zack et Félix. C'est là qu'ils se sont rencontrés.
Moi : Hum. C'est comment, avoir une grande sœur ?
Robin : Je ne sais pas.
Moi : Euh, et Lilas ?
Robin : Techniquement, je suis son aîné de sept minutes.

Je l'ai dévisagé.

Moi : Hein ?
Robin : On est des jumeaux.

Moi : Pour vrai ? Mais vous n'êtes même pas pareils !

Robin a éclaté de rire.

Robin : C'est normal. C'est une fille.
Moi (en rougissant) : Ce que je veux dire, c'est que vous ne vous ressemblez pas tant que ça.
Robin : Ça, c'est parce que j'ai hérité de la beauté brute et de l'intelligence et qu'elle a dû se contenter du reste.

J'ai souri. Il me plaisait beaucoup plus quand il était drôle. Il en a profité pour prendre ma main. J'ai réalisé que la sienne était moite, mais je me suis dit que ce devait être à cause de la nervosité. Ou du seitan.

J'ai rejoint mon frère et ses amis un peu plus loin et j'ai passé l'heure suivante à m'assurer de ne pas me retrouver seule avec mon poète. Il était près vingt-trois heures quand les choses se sont gâtées. Je revenais des toilettes quand Robin m'a attirée vers lui.

Robin : Salut, princesse !
Moi : Euh, allo.
Robin : J'ai un autre cadeau pour toi.
Moi : Encore une fleur ?
Robin (en me tendant une feuille pliée) : Non. Un morceau de mon âme.

Moi (en faisant un sourire forcé) : Wow. Ce n'était pas nécessaire.

Robin : J'aimerais beaucoup que tu le lises.

J'ai obéi.

Je suis esseulé sans toi.
Où es-tu ? Je ne te vois pas.
Je me sens perdu dans l'océan de mes pensées.
Tel un dauphin en plein naufrage dans la Méditerranée.
Tu es ma muse, et je suis sans mot quand tu n'es pas là.
J'aimerais tant que tu me permettes de rester auprès de toi.

Moi (en gardant les yeux rivés sur la feuille) : Wow.

Robin : Est-ce que tu l'aimes ?

Moi (d'un ton hésitant) : Euh, oui.

Robin (en souriant) : Peux-tu préciser ?

Moi : C'est que... Je suis sans mot.

Robin (en haussant les épaules) : Je voulais simplement que tu saches comment je me sens.

J'ai levé les yeux vers lui. Il me regardait avec des yeux de bébé labrador. Il fallait que j'intervienne avant qu'il me demande en mariage.

Moi : Écoute, Robin, tu es vraiment gentil, mais...

Il m'a interrompue en prenant ma main.

Robin : Léa, on est faits pour être ensemble.
Moi (en riant nerveusement) : Je pense que tu t'emballes un peu, là.
Robin : Pourquoi tu dis ça ?
Moi : Parce qu'on n'a pas grand-chose en commun. La preuve, c'est que j'aime la viande et que je ne connais rien à la poésie.
Robin (en me chuchotant à l'oreille) : Ne le dis pas à Lilas, mais je mange des croquettes de poulet en cachette.

J'ai souri, et il s'est avancé vers moi.

Robin : Embrasse-moi, belle Léa.
Moi : Euh, je pense que c'est mieux pas.
Robin : Pourquoi ?
Moi : Parce que, euh, je suis trop jeune pour toi.
Robin : Balivernes ! L'amour n'a pas d'âge. S'il te plaît, juste un baiser.

Il m'a souri, et j'ai cédé devant ses fossettes.

Moi : Si j'accepte, il faut que tu me jures de laisser tomber les surnoms liés à la principauté.

Robin a éclaté de rire.

Robin : Ce que je ne ferais pas pour un baiser de ma princesse.

J'ai froncé les sourcils.

Robin : C'est bon. Je te le promets.

Il s'est avancé vers moi et a posé ses lèvres sur les miennes. Ça goûtait les cerises au marasquin. Le baiser était doux, mais je t'avoue n'avoir ressenti aucun papillon et n'avoir vu ni étincelle ni feu d'artifice.

Robin (en se reculant un peu et en me lançant un regard amusé) : Alors ? Est-ce que tu as survécu ?

J'allais répondre quand quelque chose, ou plutôt quelqu'un, a attiré mon attention derrière lui. Un visage familier qui me regardait d'un air ahuri. Alex.

Il jouait au billard avec Bianca. Il m'a fait un petit signe de la main et ils se sont avancés vers nous.

Alex : Salut, Rongeur. Je ne croyais pas te croiser dans un bar à cette heure-là.
Moi : Moi non plus. Qu'est-ce que tu fais ici ?
Alex : Le grand frère de Bibi travaille ici alors on peut venir sans se faire carter. Toi ?

Moi : Je... suis sortie avec Félix et ses amis.

Robin a toussoté.

Moi : Je te présente Robin. Robin, voici Alex. C'est un... ami de l'école.

Ils se sont serré la main poliment, mais froidement.

Bianca (en embrassant chaleureusement Robin) : Salut ! Moi, c'est Bianca, mais tout le monde m'appelle Bibi.
Alex (mal à l'aise) : Bon, ben... On ne vous dérangera pas plus longtemps. Vous aviez l'air pas mal... euh, occupés.
Bianca (en me faisant un clin d'œil) : Bonne soirée, les amoureux !

J'ai détourné le regard.

Robin (en posant une main sur mon épaule) : Ça va ?
Moi (en faisant un effort pour sourire) : Oui. C'est juste bizarre de tomber sur eux.

J'ai prétexté une envie de pipi pour me rendre aux toilettes et reprendre mes esprits. En sortant, j'ai entendu la voix de mon frère. Il était caché derrière des caisses de bière et discutait avec une fille. Ça semblait intense. Je me suis avancée sur la pointe des pieds et j'ai aperçu une grande et belle blonde au style impeccable. Marianne.

C'est là que j'ai allumé. Tout s'expliquait. Le comportement bizarre de Félix depuis un bout, et surtout, le changement d'attitude de Marianne. Elle ne me léchait pas les bottes pour Olivier. Elle le faisait parce qu'elle était amoureuse de mon frère, et qu'apparemment, ils se fréquentaient en cachette depuis des semaines.

J'ai toussoté et leurs chuchotements se sont interrompus. Félix s'est alors tourné vers moi, les yeux ronds, tandis que Marianne me souriait à pleines dents. Le temps s'est arrêté pendant quelques secondes, puis Marianne s'est avancée vers moi.

Marianne : Salut, Léa !

Je me suis contentée de plisser les yeux.

Marianne : Euh, je sais que ce doit être une grosse surprise de me voir ici, mais Félix et moi avions des choses à régler. Pour te dire la vérité, nous formons un couple, et j'en avais assez des cachotteries. Ton frère ne voulait pas que tu l'apprennes comme ça, mais comme je m'acharne à lui répéter, il n'y a pas dix millions de façons de t'en parler.

Il y a eu un moment de silence, puis Félix a pris la parole.

Félix : Je suis désolé de ne pas t'en avoir parlé plus tôt, la sœur, mais je me doutais que tu allais capoter. Après tout, je sais que Marianne et toi avez déjà eu de petits ennuis dans le passé, et je...

Marianne (en l'interrompant) : Mais c'est fini, tout ça. J'aime vraiment ton frère, Léa, et c'est tout ce qui compte.

Elle a posé sa main sur mon bras avant de poursuivre.

Marianne : Je sais que j'ai été un peu dure avec toi dans le passé, mais j'ai vraiment envie qu'on reparte à zéro. Après tout, si tu es la sœur d'un gars aussi génial que lui, c'est que tu vaux vraiment la peine d'être connue.

J'ai cligné les yeux, incapable de répondre quoi que ce soit. J'ai plutôt choisi de tourner les talons et de regagner le bar. Alex m'a interceptée alors que j'enfilais mon manteau.

Alex : Eille ! Tu pars déjà ?
Moi : Oui.
Alex : Euh, ça va ?
Moi : Pas vraiment, non. Je viens d'apprendre que Marianne sort avec mon frère.
Alex (en écarquillant les yeux) : Pardon ?

Moi : Tu as bien compris. Mon bourreau préféré et Félix sont amoureux.

Alex : Et il ne t'avait rien dit ?

Moi : Non.

J'ai secoué la tête, encore sous le choc.

Moi : Je ne peux pas croire qu'il sorte avec elle, Alex. Après tout ce qu'elle m'a fait vivre depuis qu'on a emménagé ici !

Alex : À la défense de ton frère, Marianne a aussi un côté *sweet*.

Je lui ai lancé un regard noir.

Moi : Je ne pourrai jamais être amie avec elle. Jamais.

Alex : C'est correct, Léa. Tu n'es pas obligée.

J'ai soupiré.

Moi : J'ai besoin de sortir d'ici.

Alex : Es-tu correcte pour rentrer ? Je peux t'accompagner, si tu veux.

Moi : J'avoue que...

Bianca a évidemment choisi ce moment pour nous interrompre.

Bianca (en prenant Alex par le bras) : Bébé chou, est-ce que tu as partagé mon idée avec Léa ?

Moi : Quelle idée ?

Bianca : Que ce serait le *fun* de faire quelque chose ensemble, tous les quatre, question de connaître un peu mieux ton beau Robin.

Ce dernier m'a aussitôt enlacée par-derrière.

Robin : On parle de moi ?

Bianca (en souriant) : Oui. On voulait organiser quelque chose avec toi et Léa.

Robin : Super. Les amis de ma princesse sont mes amis.

Au. Secours.

Bianca (en consultant l'agenda sur son cellulaire) : Vendredi et samedi prochains, je suis complètement *bookée* avec le défilé, mais on pourrait faire ça dimanche ?

Moi : Euh, c'est le jour de la Saint-Valentin !

Robin (en me serrant contre lui) : Raison de plus pour se réunir.

Bianca (en frappant des mains) : Mets-en ! Quoi de mieux que de passer la fête de l'amour avec des gens qu'on aime !

Alex et moi avons échangé un regard. Il avait l'air aussi mal à l'aise que moi.

Bianca : Alex et moi allons tout coordonner, et on vous redonne des nouvelles.

Moi (en me tournant vers Robin) : Crois-tu que tu pourrais me raccompagner chez moi en taxi ? Je suis vraiment claquée.

Robin : Bien sûr, princesse.

Félix est arrivé sur ces entrefaites.

Félix : Léa, est-ce qu'on peut se parler comme des adultes, s'il te plaît ?

Moi (sans même le regarder) : Non.

J'ai agrippé Robin par le bras et nous sommes sortis dans le froid avant d'entrer dans un taxi. Quand la voiture s'est finalement immobilisée devant chez moi, il a pris ma main dans la sienne et m'a regardée avec son intensité légendaire.

Robin : J'ai passé une superbe soirée. Merci d'exister, Léa. Et de m'avoir permis de t'embrasser.

Moi : De rien.

Robin : Je peux t'appeler demain ?

Je n'avais pas la force de lui résister.

Moi : Je préférerais un texto.
Robin (en souriant) : *Deal*.

Il m'a embrassée sur la bouche et je suis rentrée chez moi.
J'ai alors aperçu ma mère qui regardait un film dans le
salon.

Ma mère (en s'avançant vers moi, inquiète) : Léa, ça va ?
Pourquoi est-ce que tu es seule ?

J'ai aussitôt éclaté en sanglots.

Ma mère (en me prenant dans ses bras) : Qu'est-ce qui se
passe, Léa ? Où est ton frère ?
Moi (en morvant sur son pyjama) : Avec... ma... pire...
ennemie !

Elle m'a alors entraînée jusqu'au sofa et je lui ai raconté
toute ma soirée tandis qu'elle me préparait un chocolat
chaud.

Moi (en séchant mes larmes) : Je ne sais pas ce qui me
fait le plus capoter : le fait que Félix m'ait trahie ou que je
doive passer la Saint-Valentin avec un poète, mon ancien
meilleur ami et sa nouvelle *best* gossante.

Elle a ri.

Ma mère : Rien ne t'oblige à y aller, Léa.

Moi (en haussant les épaules) : Je sais, mais je ne veux pas perdre la face. Et je me dis que c'est peut-être ce dont j'ai besoin pour franchir la dernière étape de mon deuil.

Ma mère : Et Robin ?

Moi (en haussant les épaules) : Il est intense, mais il me change les idées. Et disons que j'en ai vraiment besoin en ce moment.

Ma mère s'est mordu la lèvre inférieure avant de poursuivre.

Ma mère : Tu sais, ma puce, je suis certaine que Félix ne voulait pas te faire de mal.

Moi : C'est raté.

Ma mère : Il n'a pas le contrôle sur son cœur.

Moi : Non, mais il n'est pas obligé de s'acharner sur les filles de mon école. Et encore moins sur les nunuches.

Ma mère : Rien ne t'oblige à avoir de relation avec elle, Léa.

Moi : Pff ! Penses-tu vraiment que Félix va s'empêcher de l'inviter ici ?

Ma mère : Si tu lui demandes, je suis certaine que oui.

Moi : Ça ne changerait rien au fait que je me sens trahie.

Ma mère : Essaie un peu de le comprendre, Léa.

Moi : Et toi, arrête un peu de le défendre !

Ma mère : Je comprends que tu te sentes blessée, mais je ne veux pas que cette histoire ruine la belle complicité que tu as avec ton frère.

Moi : C'était à lui de penser à ça avant de tomber amoureux de ma pire ennemie.

Ma mère (en me flattant les cheveux) : La nuit porte conseil, ma puce. Essaie de t'expliquer avec ton frère demain, et je suis certaine que tout te paraîtra moins dramatique.

J'ai soupiré et je suis montée à ma chambre avant que Félix ne rentre. Je n'ai aucune envie de le voir, et encore moins de lui parler. Je te jure, Jeanne, je ne crois pas que je pourrai m'habituer à avoir Marianne comme belle-sœur. Ma seule lueur d'espoir, c'est que si je me fie aux autres relations de mon frère, la leur devrait être terminée d'ici Pâques.

Je te laisse. Je vais essayer de dormir. En espérant ne pas être envahie par une armée de nunuches dans mon sommeil. Appelle-moi dès que tu lis ce courriel !

Léa

Chapitre 6 :
Saint-Valentin
et won ton pourri

Mardi 9 février

18 h 21

Félix (en ligne): Le souper est prêt.

18 h 24

Félix (en ligne): LÉA?!? Ça fait trente fois que je t'appelle! Le souper est servi. Les parents nous attendent en bas.

18 h 25

Léa (en ligne): Je n'ai pas faim.

18 h 25

Félix (en ligne): Impossible. La satiété est un état que ton corps ne connaît pas.

18 h 25

Léa (en ligne): Crois-moi, ta présence me coupe l'appétit.

18 h 26

Félix (en ligne): *Come on*, Léa, arrête de me bouder, s'il te plaît.

18 h 26

Léa (en ligne): Je ne te boude pas. Je te fuis. C'est différent.

18 h 26

Félix (en ligne): On habite dans la même maison. Tu ne pourras pas m'éviter bien longtemps.

18 h 26

Léa (en ligne): Ne t'en fais pas pour moi. J'ai plus d'un tour dans mon sac.

18 h 27

Félix (en ligne): Je ne comprends pas pourquoi tu t'acharnes à me faire la gueule. Je sais que la surprise n'a pas dû être le fun, mais je t'ai répété mille fois que je n'inviterai pas Marianne ici tant que tu ne seras pas OK avec la situation.

Léa (en ligne) : Alors tu en as encore pour une bonne dizaine d'années à attendre.

Félix (en ligne) : Est-ce que je peux interpréter ce sarcasme comme un pas vers la réconciliation ?

Léa (en ligne) : Non, Félix. Tu as décidé de t'enticher de ma pire ennemie, alors vis avec les conséquences.

Félix (en ligne) : *Dude !* Ma relation avec elle n'est pas une attaque contre toi !

Léa (en ligne) : C'est pourtant comme ça que je l'interprète. Peux-tu me laisser étudier, maintenant ?

Félix (en ligne): Non. Je veux que tu viennes manger avec nous et que tu redeviennes la petite sœur gossante que je connais depuis seize ans trois-quarts.

18 h 29

Léa (en ligne): Impossible. Assume tes choix, Félix.

18 h 29

Félix (en ligne): Ben, c'est ça. Fais à ta tête et crève de faim!

18 h 29

Léa (en ligne): Bye, Judas.

À : Marilou33@mail.com
De : Léa_jaime@mail.com
Date : Jeudi 11 février, 22 h 22
Objet : Semaine de caca

Salut, Lou !
Comme tu peux le voir à mon titre, les choses ne se sont pas vraiment améliorées depuis qu'on s'est parlé plus tôt cette semaine. Je continue d'ignorer Félix (ce qui n'est pas super difficile puisqu'il passe tout son temps avec sa nouvelle blonde et qu'il n'ose pas l'inviter chez nous) et ses tentatives de rapprochement et de léchage de bottes. Hier soir, il a même sorti les vidanges alors que je lui avais promis de le faire à sa place pour le remercier d'avoir organisé la soirée avec ses amis.

Pour ce qui est de Marianne, je crois que mon frère lui avait suggéré de me laisser tranquille puisque j'avais réussi à l'éviter jusqu'à ce matin.

Marianne (en se pointant derrière moi alors que j'étais en train de ranger mes bottes Sorel dans le fond de mon casier) : Salut, Léa !
Moi (en sursautant et en me cognant la tête contre la porte) : Ouch !
Marianne (en se penchant vers moi et en observant mon front) : Désolée, je ne voulais pas te faire peur. Ça va ?

Moi : Ça irait mieux si tu partais.

Marianne (en esquissant un sourire forcé) : Il faut qu'on se parle.

Moi : Je n'ai rien à te dire.

Marianne : Écoute, Léa, je sais que tu boudes Félix, mais je crois sincèrement que si tu apprenais à mieux me connaître...

Moi (en me frottant la tête et en prenant mes livres de sciences) : Quoi ? Je réaliserais que tu n'es pas le bourreau qui m'attaque depuis deux ans ?

Marianne : Léa, je t'ai déjà dit que j'étais désolée pour nos petits malentendus.

Moi (en l'interrompant) : Nos « malentendus » ? Tu me niaises, là ? Si je n'avais pas eu la couenne aussi dure, ça fait longtemps que j'aurais changé d'école à cause de toi et ta gang.

Marianne (en renvoyant sa crinière derrière son épaule) : OK, *fine*. Je l'admets. Je n'ai pas toujours été *nice* avec toi, et c'était *wrong* de ma part.

Moi : Ce n'était ni *ring*, ni *rang*, ni *rong*. C'était méchant. Tout comme les innombrables moments d'humiliation en classe et les insultes auxquels j'ai droit depuis près de trois ans.

Marianne a soupiré, puis elle a baissé les yeux vers le sol.

Marianne : Tu as raison. Mais je te jure que c'était presque tout le temps Maude qui lançait les attaques.

Moi : Et quoi ? Tu n'étais pas capable de lui tenir tête et lui dire qu'on n'intimide pas les gens comme ça ?

Marianne (en haussant les épaules) : C'est une amie de longue date. J'essayais juste d'être solidaire.

Moi (en soupirant) : Ben, c'est ça. Qui se ressemble s'assemble.

Marianne (en roulant les yeux) : C'est tellement *lame* comme expression.

J'ai plissé les yeux, et elle s'est aussitôt radoucie.

Marianne (en faisant une moue détestable) : Allez, Léa. Je ne veux pas qu'on soit en mauvais termes. C'est important pour ma relation avec ton frère.

Moi : Mais je m'en fous de votre relation ! Tout ce que je veux, c'est que vous disparaissiez de mon champ de vision jusqu'à l'hiver.

Marianne : Et le défilé ?

Moi : Je vais parler à Bianca et je vais m'arranger pour qu'on ne travaille plus ensemble.

Bianca (en se pointant sur ces entrefaites) : Qu'est-ce que j'entends là ? Mon mannequin préféré vit un moment de panique ?

Moi : J'appellerais plus ça un conflit de personnalités.

Marianne (en jouant à la victime) : J'ai tout essayé, Bibi, mais elle ne veut rien entendre.

Bianca a lâché son emprise et a froncé les sourcils.

Bianca : Qu'est-ce qui se passe ?

Marianne : Il se passe que Félix et moi sommes amoureux et que ça ne fait pas l'affaire de Léa.

Bianca : Vous n'allez quand même pas vous battre pour un garçon, les filles ! Un peu de solidarité !

Moi : Félix est mon frère, Bianca. Et elle peut l'avoir. Je m'en fiche.

Bianca (d'un ton maternel) : Hon. Je pense que je commence à comprendre. Tu sais, Léa, c'est très bien de vouloir protéger ton frérot, mais je suis certaine que Marianne prendra soin de lui. Pour ce qui est du... hum, reste, j'ai confiance qu'ils agiront comme deux personnes responsables pour éviter que tu deviennes « tatie Léa ».

Moi (dégoûtée) : *Ewwww !*

Marianne (en roulant les yeux) : Elle est juste fru parce que Félix lui a caché qu'on se fréquentait.

Moi : Non. Je suis *blessée* parce qu'il a choisi de sortir avec un bourreau qui s'amuse à m'humilier depuis que j'ai mis les pieds dans cette école.

Bianca (en essayant de me calmer) : Mais ça n'a rien à voir avec le défilé, Léa.

Moi : Au contraire. Je refuse de collaborer avec l'ennemie.

Marianne (en plissant les yeux) : Ce n'est pas ce que tu disais la semaine dernière quand je t'ai empêchée de faire une folle de toi lors de la répétition.

Moi (en haussant les épaules) : C'est vrai qu'avec ton costume de tigresse, tu as *tellement* l'air plus cool que moi.

Marianne (en roulant les yeux) : Tu es vraiment immature, Léa.

Bianca (en haussant le ton) : ÇA SUFFIT !

Les élèves aux alentours se sont tous retournés vers nous.

Bianca (en prenant une profonde inspiration) : Les filles, je me fiche de vos disputes et de vos histoires de cœur. Tout ce que je veux, c'est que vous arriviez à vous entendre lorsque vous êtes sur la scène. C'est compris ?

Marianne : Je n'ai aucun problème avec ça. C'est Léa qui a la tête dure.

Moi (en suppliant Bianca du regard) : Peux-tu faire quelque chose, Bibi ?

Bianca : Comme quoi ?

Moi (en pointant Marianne) : L'échanger par une autre nunuche ?

Marianne : Pas question ! C'est *ma* chorégraphie !

Moi : Alors, remplace-moi par une autre naine !

Bianca (en secouant la tête) : Je suis désolée, Léa, mais tu sais que c'est impossible. Tu devras terminer ce que tu as commencé.

Le téléphone de Marianne a alors émis un petit bruit pour lui indiquer qu'elle avait reçu un message texte. J'ai vu à son expression de greluche que ce dernier provenait de mon frère. Elle s'est éloignée en tapotant sur son cellulaire et en souriant comme une dinde. J'ai quant à moi baissé les yeux en poussant un long soupir de découragement.

Bianca (en me prenant par le bras) : Relaxe, ma chouette. Si tu es capable de travailler avec Maude pour l'organisation du bal, je suis certaine que tu arriveras à collaborer avec Marianne pour la chorégraphie.

J'ai grommelé et Bianca a esquissé un large sourire.

Bianca : J'ai une nouvelle qui devrait te remonter le moral.
Moi (pince-sans-rire) : Tu m'as inscrite à une retraite fermée avec Lydia et Sophie ?
Bianca : Non. J'ai réussi à nous avoir une réservation au Café l'Amour pour notre super brunch de dimanche. Ils ont même un menu spécial pour la Saint-Valentin ! C'est romantique, non ?

Au. Secours.

J'allais répondre lorsque Maude est apparue à côté de moi.

Maude (en regardant Bianca avec dédain): *Scram*, la nouvelle. Je dois parler à Léna seule à seule.

Je ne sais pas ce qui était pire : entendre Bibi me parler du rendez-vous cauchemardesque auquel je devais assister dans quelques jours ou me taper un tête-à-tête avec la reine des nunuches.

Bianca : Ce n'est pas avec une attitude comme ça que tu vas te faire des amis au cégep, Maude.

Elle s'est éloignée et Maude a pouffé de rire.

Maude : Peux-tu croire que cette *wannabe* a eu le culot de s'attaquer à mon chum ?
Moi : À sa défense, José avait l'air consentant.

Elle m'a lancé un regard noir.

Maude : Personne ne t'a demandé ton avis, Maëlle.
Moi (en roulant les yeux): Qu'est-ce que tu me veux, Maude ?
Maude : Il va falloir que tu parles au moron à lunettes pour le remettre à sa place.
Moi : Pardon ?

Maude : Ton ami rejet du journal essaie de s'imposer dans le comité et je ne le laisserai pas faire.

Moi : Reviens-en, Maude. Annie-Claude lui a juste demandé un coup de main pour les invitations.

Maude : Et as-tu vu ce que ça donne ? Ils ont choisi un papier ciré avec des motifs aussi laids que tes bas collants.

Moi : Merci.

Maude : Regarde si tu ne me crois pas !

Elle m'a tendu le modèle en question. Il ressemblait au papier à lettres sur lequel j'écrivais quand j'étais enfant. Je l'ai reniflé, et Maude m'a dévisagée comme si j'étais une verrue plantaire.

Maude : Tu as toujours été *lame*, mais là, tu bats des records.

Moi : Je voulais juste voir s'il avait la même odeur que quand j'étais petite. Ma mère m'achetait du papier comme ça pour que j'écrive à mes correspondants, et...

Maude (en m'interrompant) : Je me fous de tes amis imaginaires, face de crevette. Je veux juste que tu constates l'ampleur des dégâts.

Moi (en observant le modèle de façon objective) : J'avoue que ça fait un peu bébé...

Maude : Un peu ? On dirait une invitation pour un party au McDonald's !

Moi (en haussant les épaules) : C'est sa décision.

Maude : Non. C'est celle de tout le comité, et tu dois lui dire que c'est laid.

Moi : Pourquoi moi ?

Maude : Parce que pour une raison que j'ignore, Anne-Claudette t'écoute plus que moi.

Moi : C'est peut-être parce que je l'appelle par son vrai prénom...

Maude (en m'interrompant et en interpellant Annie-Claude au loin) : Eille, toi ! Attends !

Elle a claqué des doigts comme si elle tentait d'obtenir l'attention d'un serveur, mais sans succès. José est aussitôt arrivé à la rescousse en sifflant avec ses doigts. Le bruit a résonné si fort que tout le monde s'est tourné vers nous.

Maude (en enlaçant son chum) : Merci, mon amour !

José (en l'embrassant passionnément) : *De nada, mi amor.*

J'ai grimacé avant de faire un petit signe de la main à notre présidente.

Moi (en m'avançant vers elle) : Salut !

Annie-Claude : Allo, Léa ! C'est monsieur Martinez qui m'interpelle comme si j'étais une joueuse de soccer professionnelle ?

Moi : Ouais. C'est parce que...

Maude (en se dressant aussitôt à mes côtés et en m'interrompant) : Annette, il faut qu'on te parle.

Annie-Claude (en roulant les yeux) : Qu'est-ce qui se passe encore, Maude ?

Maude : Le papier qu'Élias a choisi est vraiment vomissant.

Annie-Claude : Il s'appelle Éloi, et j'ai approuvé son choix.

Maude (en la dévisageant des pieds à la tête) : Pas étonnant, à voir ton style.

Annie-Claude (en tournant les talons) : OK, *bye* !

Maude : Attends ! Léa partage aussi mon opinion !

Annie-Claude (en se retournant vers moi, surprise) : Ah oui ? Tu n'aimes pas le modèle qu'on a sélectionné ?

Moi (un peu mal à l'aise) : Ben, euh, ce n'est pas que je l'aime pas. Je trouve que ça fait un peu enfantin pour le bal.

Annie-Claude (en haussant les épaules) : Il n'est pas trop tard pour changer d'avis. Tous les modèles sont dans le local du comité. Tu peux y aller ce midi et choisir celui que tu préfères.

Moi (en souriant) : Cool !

Maude (en fronçant les sourcils) : QUOI ? Tu refuses que j'aie mon mot à dire, mais à la minute où Léa-face-de-rat daigne montrer un peu d'intérêt, tu lui donnes carte blanche ?

Annie-Claude : Peut-être que si tu avais une meilleure attitude, je t'accorderais plus de responsabilités, mais ton manque de respect ne me donne aucune envie d'être accommodante.

Maude : Pourquoi refuses-tu d'admettre que le bal serait un désastre si je n'étais pas là pour intervenir et réparer vos gaffes ?

Annie-Claude : Contrairement à ce que tu penses, le centre du monde ne gravite pas autour de ta petite personne, Maude, et le comité peut très bien s'en tirer sans tes interventions de chipie.

Maude (en me désignant du menton) : Pff ! Penses-tu vraiment que Léa la fermière peut nous dénicher une invitation qui a du style et de la classe ?

Annie-Claude (en ignorant Maude) : Avoir de la classe, c'est savoir respecter les autres. Et ta camarade pourrait te donner un cours là-dessus.

Elle s'est éloignée avant que Maude ne puisse répliquer quoi que ce soit.

Maude (en posant ses mains sur ses hanches) : Il n'est pas question que vous décidiez sans moi !

Elle m'a alors traînée jusqu'au local pour consulter les échantillons qu'Annie-Claude avait déposés sur le bureau.

Maude (en me tendant un modèle simple et classique) : Je veux celui-là.

Moi : Ce n'est pas une dictature, Maude. J'ai le droit à mon opinion.

Maude (en soupirant): Pourquoi tu nous fais perdre du temps? Tu sais très bien que j'ai plus de goût que toi!

Moi (plus par esprit de contradiction que par réelle volonté de m'impliquer): Je tiens à voir les autres modèles.

Maude: Tu ne connais rien là-dedans, minus. Concentre-toi plutôt sur le choix de ta robe. Après tout, ça ne sera pas facile de trouver un modèle qui s'agence avec ton teint de craie et ta taille de naine.

J'ai plissé les yeux et j'ai pris mon temps pour analyser chacun des modèles. Je pouvais sentir qu'elle était sur le point d'éclater.

Moi (en pointant l'un d'eux): J'aime mieux celui-ci.

Maude: ARK! Il est bien trop *drabe*!

Moi (en désignant un autre): Celui-là, alors.

Maude: Euh, il est bien trop d-é-g-u-e-u-l-a-s-s-e! C'est non!

Moi (en posant les mains sur mes hanches): Je me fous de ce que tu penses, Boucle d'or. C'est MOI qui décide.

Maude (en secouant la tête): Tu es vraiment une garce, Léna Oliviera. Pas étonnant qu'Alex n'ait pas voulu de toi.

J'ai serré les poings pour éviter de lui sauter au visage.

Maude (en s'approchant à quelques centimètres de moi): En passant, Marianne m'a appris la grande nouvelle. C'est cool de savoir qu'une des miennes a réussi à infiltrer ta famille. Ça me permettra de multiplier mes attaques. *Ciao, loser.*

Elle est partie et je me suis laissée choir sur une chaise en observant les échantillons de papier. Celui qu'elle avait sélectionné était aussi mon préféré, mais il était hors de question que je lui donne raison après ce qu'elle venait de me dire. J'ai donc opté pour un modèle similaire et je me suis rendue en classe. J'ai réussi à terminer ma journée de cours de peine et de misère avant de rentrer chez moi. Je m'apprêtais à rejoindre mes parents pour le souper lorsque mon cellulaire a vibré.

11-02 18 h 51

Je compte les minutes jusqu'à dimanche. J'ai si hâte de te voir, belle Léa. Je t'ai préparé une surprise exprès pour l'occasion.
Ton prince, Robin des Bois

J'ai enfoui ma tête sous mon oreiller pour crier sans alerter mes parents. Heureusement, mon frère avait une réunion d'équipe et j'ai pu manger en paix avant de terminer mes devoirs.

Là, je vais prendre ma douche et essayer de dormir sans me faire hanter par Maude, Marianne, Bibi, Robin ou même Mégane, qui doit faire un retour en force samedi.

Je t'aime et j'ai hâte d'avoir de tes nouvelles !
Léa xox

📱 12-02 19 h 21

Salut, Léa! Qu'est-ce que tu fais?

📱 12-02 19 h 22

Allo, Kath! Je profite de l'absence de Félix pour errer librement dans la maison.

📱 12-02 19 h 22

Tu n'arrives toujours pas à avaler sa nouvelle histoire d'amour, hein?

📱 12-02 19 h 23

Non.

📱 12-02 19 h 23

Si ça peut t'encourager, je t'assure que quelque part sous la carapace de nunuche de Marianne se cache une fille capable de gentillesse.

📱 12-02 19 h 23

À mes yeux, elle restera toujours une terreur avec des pores parfaits.

📱 12-02 19 h 24

Félix a vraiment un penchant pour les filles de notre âge, hein ?

📱 12-02 19 h 24

Mets-en ! Mais dis-moi, ça ne te fait pas capoter que Marianne sorte avec ton ex ? Il me semble que ce n'est pas vraiment mieux que de triper sur ton *kick* !

📱 12-02 19 h 24

Il faut que je t'avoue quelque chose, mais tu dois me promettre de ne pas te fâcher.

📱 12-02 19 h 25

Je vais faire mon possible.

📱 12-02 19 h 25

Quand tu m'as annoncé la nouvelle à propos de ton frère et de Marianne, la première chose que j'ai ressentie, c'est du soulagement. C'est con, mais j'étais tellement contente d'apprendre qu'il n'y avait rien de louche entre elle et Oli…

📱 **12-02 19 h 25**
....

Je te comprends, Kath. Et je ne me choquerai pas
pour ça ! 😉

📱 **12-02 19 h 26**
....

Ce n'est pas tout.

📱 **12-02 19 h 26**
....

Je t'écoute.

📱 **12-02 19 h 26**
....

Ce soir-là, Marianne s'est pointée chez moi. Je sais
que j'aurais dû t'en parler, mais je ne voulais pas
que tu penses que je ne comprenais pas ta colère
ou que je faisais maintenant partie de sa *team*.

📱 **12-02 19 h 27**
....

Qu'est-ce qu'elle voulait ?

📱 **12-02 19 h 27**
....

S'assurer que je ne lui en veuille pas pour Félix.
Apparemment, elle voulait m'en parler depuis des
semaines, mais ton frère lui avait fait promettre
de se taire, car il voulait que tu sois la première à
l'apprendre. Il paraît que même Maude ne savait pas

qu'ils se fréquentaient avant que tu les surprennes au bar.

📱 12-02 19 h 27

Au moins, elle a eu la délicatesse d'aborder le sujet avec toi.

📱 12-02 19 h 28

Ouais, mais la suite ne te plaira pas. Elle m'a demandé de l'aide pour «t'amadouer».

📱 12-02 19 h 28

Ha! Comme si j'étais un pitbull! Qu'est-ce que tu lui as répondu?

📱 12-02 19 h 28

Qu'elle devait assumer les conséquences de ses actes. Elle m'a alors dit qu'elle regrettait sincèrement d'avoir agi comme une *bitch* avec toi, et que si c'était à refaire, elle apprendrait à te connaître au lieu de t'intimider.

📱 12-02 19 h 29

Pff. Je te parie trois milliards de dollars que si ce n'était de Félix, elle ferait encore partie de l'armée des nunuches.

📱 **12-02 19 h 29**

....

Tu as sans doute raison, mais dans un sens, c'est une bonne chose que sa relation avec ton frère lui fasse prendre conscience de son comportement, non?

📱 **12-02 19 h 30**

....

Peut-être. AH! Je ne sais pas quoi faire, Kath. Est-ce que je dois boycotter mon frère jusqu'à ce qu'il quitte le nid familial ou ravaler ma colère et me forcer à coexister avec l'une des personnes qui m'a fait le plus de mal dans ma vie?

📱 **12-02 19 h 30**

....

Ni l'un ni l'autre. Tu laisses la poussière retomber en demandant à ton frère de la tenir loin de toi le temps que tu puisses t'y faire. Mais ne laisse surtout pas leur histoire d'amour te faire douter de la loyauté de Félix, car je sais qu'il sera toujours là pour te défendre et assurer tes arrières.

📱 **12-02 19 h 31**

....

Je l'espère. Bon, je te laisse. Mes parents m'attendent pour regarder un film.

OK ! On se donne des nouvelles en fin de semaine.
Luv !

À : Léa_jaime@mail.com
De : Marilou33@mail.com
Date : Samedi 13 février, 22 h 29
Objet : Mauvais karma

Salut, Léa !
Je pense que nos karmas se sont donné le mot cette semaine et qu'ils se sont dit : «Comme c'est l'hiver et que Léa et Marilou doivent déjà affronter les éléments et survivre au -40 000 qu'il fait dehors, au *rush* des examens et aux demandes pour le cégep, pourquoi ne pas y aller d'un coup de massue et leur rendre la vie vraiment impossible ? »

Tu devineras qu'après une semaine de retrouvailles sans anicroche, ma lune de miel avec JP s'est terminée brusquement ce soir alors qu'on profitait de l'absence de ses parents pour célébrer la Saint-Valentin.

Comme je me sentais romantique, j'avais même insisté pour préparer le repas.

Moi (en prenant une bouchée et en grimaçant) : Je pense que j'aurais dû m'en tenir à la soupe en conserve.
JP (en riant) : Ben non. C'est mangeable !
Moi : Mais je ne voulais pas que ce soit juste «mangeable». Je voulais que ce soit bon. Et parfait.

JP (en haussant les épaules) : J'aime ça, moi, les pâtes brûlées au sel !

J'ai ri et j'ai repoussé mon bol.

Moi : Je ne peux pas avaler ça. C'est trop dégueu.
JP : Veux-tu qu'on commande de la pizza ?

J'ai grimacé.

JP : De la poutine, alors ?
Moi : C'est la Saint-Valentin, JP ! Pas le tournoi pee-wee de la région !
JP : Je sais bien, mais on n'a pas cinquante-six options.
Moi (en soupirant) : Ça, c'est parce qu'on habite dans un village de trois habitants.
JP : Arrête de te plaindre. Bientôt, tu auras tous les choix du monde dans la grande ville et tu t'ennuieras de la sauce brune de Linda.
Moi : J'en doute très fort.

Il y a eu un moment de silence un peu inconfortable. C'était la première fois qu'on abordait le thème de mon départ depuis la fin de notre *break*.

JP : Je ne savais pas que c'était devenu une si grande souffrance de vivre ici.

Moi (en roulant les yeux) : Je n'ai jamais dit ça. Je trouve juste ça plate de devoir se limiter à de la pizza graisseuse ou une frite sauce alors qu'on essaie de passer une soirée romantique ensemble.

JP : On peut prendre l'auto et se rendre au petit resto italien du village d'à côté ?

Moi (en secouant la tête) : Il fait trop froid pour sortir.

JP : Tu n'es pas facile à satisfaire, ce soir.

Moi : Au contraire. J'ai même une super idée à te proposer.

JP : Quoi ?

Moi :(en m'assoyant sur ses genoux et en lui faisant de beaux yeux) : Pourquoi on ne saute pas le repas et qu'on ne trouve pas une façon plus... intime de passer le temps ?

Il m'a regardée d'un air surpris et je l'ai embrassé. Ça s'est intensifié, mais il s'est rapidement détaché de moi avant de m'observer d'un air sérieux.

JP : Je... Je ne sais pas si c'est une bonne idée, Lou.

Moi : Qu'est-ce que tu veux dire ?

JP : Que je n'ai pas envie de brûler d'étapes.

Moi : On peut s'embrasser sans que tu paniques, JP.

Je l'ai attiré vers moi pour reprendre là où on s'était arrêtés. Je m'apprêtais à retirer son chandail quand il s'est reculé une seconde fois.

Moi : Qu'est-ce qu'il y a, encore ?

JP : Tu m'as tellement répété que tu voulais prendre ton temps que ça me joue dans la tête.

Moi : Relaxe, Jean-Philippe ! C'est moi qui essaie de te déshabiller, là !

JP (en secouant la tête) : Je sais, mais on dirait que je préfère garder mes vêtements.

Moi : Pourquoi ? Es-tu gêné de te mettre torse nu devant moi ? Tu es complexé par ton nombril, c'est ça ?

Il a ri.

JP : Je ne veux rien faire de déplacé, Lou.

Moi : Mais je suis en train de te dire que j'ai envie qu'on aille plus loin.

JP (en m'embrassant sur la joue) : Et moi, je préfère qu'on soit sages.

J'ai poussé un soupir et je me suis laissée tomber sur le sofa.

Moi : Je ne comprends pas. Avant notre pause, tu me suppliais de passer du temps avec moi et tu me faisais clairement comprendre que tu n'attendais que mon signal pour qu'on recouche ensemble, et maintenant que je te donne le feu vert, tu me repousses.

JP : Je suis désolé, Lou.

Moi (en pognant les nerfs) : Arrête les excuses bidon et dis-moi ce qui se passe !

JP (pompé aussi) : J'ai tout le temps l'impression de marcher sur des œufs ! T'es contente, là ?

Moi : Qu'est-ce que tu veux dire, au juste ?

JP : Que j'ai peur que tu exploses si je ne dis pas la bonne affaire ou si je n'agis pas de la bonne façon.

Moi : Ben là ! Je ne suis pas une bombe à retardement, quand même !

Il m'a fait une face remplie de sous-entendus.

Moi (en me radoucissant) : JP, c'est important que tu puisses te sentir à l'aise avec moi.

JP : Je sais, Lou, mais ce n'est pas facile avec toutes les épreuves qu'on a traversées au cours des derniers mois.

Moi : Est-ce qu'il y a quelque chose que je peux faire pour aider ?

JP : Non. Je suis sûr que ça va se tasser.

Moi : OK.

JP (en voulant détendre l'atmosphère) : Veux-tu qu'on loue quelque chose ?

Moi : Non, merci. Je pense que je vais rentrer chez moi.

JP (en essayant de me retenir) : *Come on*, Lou ! Ne réagis pas comme ça. Il est encore super tôt. On pourrait regarder un film en se collant, au moins.

Moi : Je te promets que je ne suis pas fâchée, *babe*. C'est juste que je préfère me coucher tôt pour aller nager demain matin.

JP : Comme tu veux.

J'ai enfilé mon manteau et il a pris ma main.

JP : Je suis désolé pour la soirée poche.
Moi (en m'efforçant de sourire) : C'est correct. Tu m'en devais une.

Il a ri.

JP : Pour ce qui est du repas raté, qu'est-ce que tu en dis si on sort du village la semaine prochaine ? Après tout, on a un anniversaire à célébrer !

J'ai souri. Je ne peux pas croire que je vais avoir dix-sept ans dans huit jours.

Moi : *Deal.*

Je l'ai embrassé et je suis sortie affronter le froid. Moi qui espérais que nos semaines de réflexion nous permettraient de laisser nos vieux problèmes derrière nous, je réalise que je m'étais trompée et que la tempête nous menace encore.

J'espère que les choses vont un peu mieux de ton côté et que Mégane ne s'est pas pointée chez vous avec une boucle dans le nez. Pour ce qui est de ton frère, même si je partage ton choc et ta colère, essaie au moins d'écouter ce qu'il a à te dire, OK ? Vous êtes trop proches pour laisser une nunuche vous séparer !

Donne-moi des nouvelles dès que tu rentres de ton brunch, et ne te gêne surtout pas pour te laisser chanter la pomme par Robin devant Alex. Après tout, il mérite de souffrir un peu !

Lou xox

À : Marilou33@mail.com
De : Léa_jaime@mail.com
Date : Dimanche 14 février, 17 h 21
Objet : Horreur et won ton

Lou! J'ai essayé de te joindre, mais ton cellulaire est fermé. Es-tu chez JP? Avez-vous rediscuté depuis hier? Je te comprends d'être un peu déçue, et surtout confuse par son attitude, mais après la fin de semaine que je viens de passer, plus rien ne m'étonne de la part des gars.

Mes malheurs ont commencé hier, alors que je préparais mes affaires pour le tutorat avec Mégane.

Ma mère (en surgissant de la cuisine) : Chérie, l'important, c'est que tu l'aides en français. Je sais que Ghislaine et Réal comptent beaucoup sur ton soutien, mais je ne veux pas que les soucis de Mégane t'accaparent plus qu'il ne le faut. Après tout, tu dois envoyer tes demandes d'admission cette semaine, et c'est vraiment la priorité en ce moment.
Moi : Oui, maman.

La sonnette a retenti, et Félix s'est précipité pour ouvrir. J'ai roulé les yeux en me dirigeant vers l'entrée. S'il croyait que c'est en accueillant les Câlinours à bras ouverts que j'allais lui pardonner, il se mettait le doigt dans l'œil.

Quand je suis arrivée près de la porte, j'ai toutefois compris que ce n'était pas la venue de Mégane qui le rendait si hyperactif, mais plutôt l'arrivée de sa blonde.

Marianne (en m'apercevant) : Salut, Léa ! Ne t'en fais pas, je ne resterai pas. Je viens juste chercher Félix. Il vient passer la journée à la maison. Je veux le présenter à mes parents. Et à Adam, que tu connais déjà.

Félix (en enfilant son manteau tout en maugréant à voix basse) : Peut-être que si ma sœur n'était pas aussi têtue et qu'elle réalisait qu'elle faisait souffrir tout son entourage, je pourrais aussi inviter ma blonde à souper.

Ma mère est alors apparue derrière moi, un peu mal à l'aise.

Ma mère (en tendant la main à Marianne) : Bonjour, Marianne.
Marianne (en souriant comme une présentatrice dans une annonce de *pâte à dents*) : Bonjour, madame Olivier. Je suis TELLEMENT contente de vous rencontrer. Je tenais à vous féliciter d'avoir élevé un fils aussi respectueux et attentionné. Croyez-moi, ce n'est pas donné à tous les gars de posséder ces qualités.
Moi (en toussant) : Tousse ! Tousse ! *Suck up !* Tousse !

Marianne et Félix m'ont dévisagée.

Félix : C'est quoi ton problème ?

Moi : J'ai besoin d'air. Ça sent la nunuche, ici.

Ma mère : Léa !

Marianne : C'est correct, madame Olivier. Je comprends. Léa n'est pas prête à m'accepter au sein de votre famille. Il faut simplement lui accorder du temps. Mais je prendrai mon mal en patience, car j'aime sincèrement votre fils.

J'ai grimacé sans masquer mon dégoût, et elle est sortie. J'ai alors regagné le salon, suivie de près par Félix.

Félix : Es-tu obligée d'être aussi bête ?

Moi : Es-tu obligé de sortir avec elle ?

Félix : Es-tu obligée de rester frustrée ?

Moi : Oui. D'autant plus que tu m'avais promis qu'elle ne mettrait pas les pieds ici.

Félix : Il va falloir que tu finisses par accepter que je suis amoureux de Marianne, Léa, et qu'elle fait maintenant partie de ma vie.

Moi (froidement) : Tant mieux pour toi, mais elle n'a pas à faire partie de la mienne.

Félix : Non, mais comme tu es ma sœur, tu ne peux pas non plus nous éviter et la traiter comme ça chaque fois que tu la vois.

Moi (en me détournant pour ne pas qu'il voie les larmes qui me piquaient les yeux) : Va-t'en, Félix.

Il a poussé un long soupir avant de poursuivre.

Félix (en roulant les yeux) : Tu es tellement mélodramatique, Léa ! C'est pour ça que je t'ai caché notre relation !

Moi : Pour ton info, ton petit secret n'a fait qu'empirer les choses !

Félix (sarcastique) : Pff ! Tu ne m'aurais *jamais* donné ta bénédiction si je t'en avais parlé. Je suis désolé, la sœur, mais tu réagis comme un bébé.

Moi (en me tournant vers lui) : Tu ne comprends vraiment rien, hein ? On n'a jamais mené la même vie, toi et moi. Dès notre arrivée à Montréal, tu as été élu le gars le plus cool et le plus populaire de l'école, alors que moi, j'ai été choisie comme la souffre-douleur de ta blonde et sa gang.

Félix : Léa, je...

Moi (en l'interrompant) : Tu m'as déjà vue pleurer et *rusher* à cause de Marianne. Tu as même déjà pris ma défense quand elle s'acharnait sur moi. Tu savais à quel point cette fille-là m'intimidait, mais apparemment, ce n'était pas une assez bonne raison pour te tenir loin d'elle. Tu m'as blessée et trahie, Félix, alors ne viens pas me dire que j'agis en bébé.

J'ai entendu un toussotement. J'ai tourné la tête, et j'ai réalisé que les Câlinours étaient arrivés sur ces entrefaites et avaient assisté à la scène.

Il y a eu un long moment de silence, puis Félix a secoué la tête avant de rejoindre sa blonde.

Ghislaine (en brisant le silence) : Ouin, ben c'est pas juste notre famille qui vit une crise, hein ?
Ma mère (en toussotant) : Bon. Je crois qu'on devrait laisser Mégane et Léa travailler.

Ils sont partis dans la cuisine et Mégane m'a suivie jusqu'à la table de la salle à manger, là où j'avais installé tous mes cahiers et exercices de français.

Mégane (en posant sa main sur la mienne et en me regardant d'un air très sérieux) : Léa, je suis contente d'avoir été témoin de ce moment de grande intensité entre Félix et toi, car j'ai l'impression de te connaître mieux. Sache que je suis là pour t'écouter.
Moi (mal à l'aise) : Hum. Je préfère qu'on parle de toi, Mégane. Comment ça va ?
Mégane (en soupirant) : Bien, à part que mes parents me traitent comme une prisonnière. Je dois rentrer directement chez nous après l'école et je n'ai pas le droit de sortir sans leur supervision.
Moi : C'est ce qui arrive quand on défie l'autorité avec une tête de barbe à papa ! Parlant de ça, je suis contente de voir que tu as retrouvé ta couleur naturelle.

Mégane (en se touchant les cheveux) : Pff. C'est tellement poche. Marie-Amande capoterait si elle me voyait comme ça.

Moi (nonchalante) : Parlant d'elle, as-tu eu des nouvelles ?

Mégane : Non. Mes parents m'interdisent de la revoir. Comme si je n'étais pas assez grande pour choisir mes amies !

Moi : À leur défense, Mégane, je crois aussi que Marie-Noix était un peu trop rebelle pour toi, et que tu gagnerais à t'entourer de copines comme Julianne.

Mégane (en se renfrognant) : Ne me parle pas d'elle. Elle m'a traitée de tête de Pepto Bismol quand elle m'a vue avec ma nouvelle coupe de cheveux et elle a décidé de retourner toute sa gang contre moi !

Moi (un peu outrée) : Ben là ! C'est quoi, son problème ?

Mégane : Elle est juste jalouse parce que je me tiens avec des gens de sixième à la récré et que je lui ai volé son chum collant.

Moi : Et tes nouveaux amis de sixième année, ils sont gentils avec toi ?

Mégane : Ouais. Ils m'ont même invitée à un party dans deux semaines, mais je suis sûre que mes parents ne me laisseront pas y aller.

Moi : Est-ce qu'il y aura de la drogue ou de l'alcool dans cette fête ?

Mégane (les yeux écarquillés) : Ils ont douze ans, Léa. Pas vingt. Il y aura du Pepsi, des *chips* et les parents d'Éléonore seront là pour nous chaperonner.

Moi : Alors, laisse-moi voir si je ne peux pas convaincre tes parents.

Mégane s'est levée d'un bond et m'a sauté au cou.

Mégane : Tu es la meilleure *BFF* au monde ! Surtout depuis que Marie-Amande n'est plus là. Merci, Léa.

J'ai souri avant de lui tendre des exercices de participes passés.

Mégane (en continuant de me regarder avec beaucoup trop d'intensité) : Comme ça, Félix sort avec une peste, hein ?

Moi : Je n'ai pas trop envie d'en parler, Mégane.

Mégane : Si tu veux, je peux m'introduire chez elle et mettre de la teinture verte dans son shampoing.

Moi : Merci de l'offre, mais je suis sûre que Marianne trouverait le moyen d'être belle même avec une chevelure couleur morve.

Elle a ri, puis on a passé l'heure suivante à réviser ses temps de verbes. Ghislaine m'a finalement interceptée alors que Mégane enfilait ses bottes et que je me rendais aux toilettes.

Ghislaine (en chuchotant) : Et puis ? Qu'est-ce que tu as appris ?

Moi : Vous n'avez plus à vous soucier de Marie-Amande. Elle n'est plus en contact avec elle. Elle m'a même dit qu'elle s'était fait de nouveaux amis en sixième année, et qu'ils l'avaient invitée dans une fête. Je pense d'ailleurs que ce serait une bonne idée qu'elle y aille. Ça lui permettrait de tisser des liens avec des gens de son âge, et je suis certaine qu'elle s'ouvrirait plus à vous si vous lui donniez un peu plus de liberté.

Ghislaine : Merci, Léa. Tu es une vraie perle. D'ailleurs, notre invitation tient toujours si tu veux t'installer chez nous pour un temps. D'autant plus que ça n'a pas l'air facile avec ton frère.

Moi : Merci, mais je vais survivre.

Ils sont partis peu de temps après et j'ai passé le reste de la journée à travailler sur un projet d'histoire.

Ma dispute avec Félix m'avait au moins permis d'oublier la Saint-Valentin, mais la réalité m'a rattrapée lorsque mon cellulaire a vibré.

Salut, Léa! Je voulais juste te confirmer notre rendez-vous de demain à 11 h 30 au Café l'Amour! J'ai hâte!

Bibi

J'ai poussé un long soupir. À quoi avais-je pensé en acceptant l'invitation de Bianca? Pourquoi m'étais-je engagée à revoir Robin le poète alors que j'avais passé la semaine à ignorer ses émoticônes de cœurs et de papillons?

J'ai appelé Jeanne à la rescousse, et elle m'a invitée à dormir chez elle pour m'aider à me préparer psychologiquement.

Moi (en me laissant tomber sur son lit): Jeanne, qu'est-ce que je fais si Alex et Bianca commencent à se *frencher* devant moi?

Jeanne: Relaxe. Ils ne sortent pas ensemble, Léa.

Moi: Ils couchent ensemble. C'est pire.

Jeanne: Ça, c'est une rumeur non fondée.

Moi: *Come on!* Elle est toujours en train de se pendre à son cou et de lui susurrer des «bébé chou» dans l'oreille!

Jeanne: Si tu te sens de trop, tu n'as qu'à coller Robin. Il est là pour ça, non?

Moi (peu convaincue): Umf. Tu es tellement chanceuse de ne pas avoir de gars pour te compliquer l'existence.

Jeanne : Pourtant, je t'avoue que je vous envie parfois, Kath et toi.

Moi : D'être malchanceuses et pitoyables à cause des garçons ?

Jeanne (en souriant) : Non. De ressentir des papillons.

Moi (en haussant les épaules) : Je ne sais pas pour Katherine, mais personnellement, mon papillon vole pas fort.

Jeanne : Qu'est-ce que tu veux dire ?

Moi : Comme Alex m'a brisé le cœur mille fois plutôt qu'une, je ne vois plus d'arcs-en-ciel ni de licornes quand je le croise. Pour ce qui est de Robin... ses poèmes me donnent surtout le goût de m'enfuir.

Jeanne a éclaté de rire avant de poursuivre.

Jeanne : Dis-toi que si Alex ne représente plus la même chose à tes yeux, tu n'as aucune raison de stresser à propos de demain.

Moi : Tu as raison. Merci, Bouddha, de m'aider à rester zen.

Jeanne : De rien !

On a ensuite enchaîné plusieurs films en mangeant nos émotions, et j'ai dormi comme une bûche. Ce matin, Jeanne m'a aidée à me préparer, puis je me suis rendue au Café l'Amour en faisant un effort surnaturel pour ne pas rebrousser chemin et me terrer sous un banc de neige.

J'ai finalement pris une profonde inspiration et je suis entrée dans le restaurant. À mon grand malheur, j'étais la première arrivée. J'avais pourtant pris soin de me pointer dix minutes en retard pour éviter que ça se produise. Je me suis assise à la table que Bibi avait réservée pour nous en priant saint Valentin pour que Robin se pointe avant les deux autres.

Évidemment, ce n'est pas ce qui s'est passé.

Bibi (en arrivant derrière moi et en me bandant les yeux) : Devine qui est là !

Moi : Mon karma ?

Bibi (en lâchant son étreinte) : Hein ?

Moi : Rien. Salut, Bianca ! Allo, Alex.

Alex : Allo, Rongeur. Bonne Saint-Valentin !

Bibi : C'est tellement excitant de célébrer la fête de l'amour avec vous tous ! Parlant de ça, ton *chum* n'est pas encore arrivé ?

Moi (en jouant l'innocente) : Qui ?

Bibi (en s'assoyant près de moi et en me faisant de gros yeux) : Le beau cégépien qui fait battre ton cœur, c't'affaire !

Robin (en se pointant sans me laisser le temps de répondre) : Bonjour, tout le monde ! Désolé de mon retard, mais j'ai eu de petits problèmes ce matin.

Je me suis tournée vers lui et j'ai écarquillé les yeux. Son visage était rouge et tout boursouflé.

Moi : *My God !* Qu'est-ce qui t'est arrivé ?

Robin : Ma sœur a décidé de me surprendre avec des biscuits à l'épeautre et au chia, et apparemment, je fais une allergie à l'un des deux.

Alex : Ça doit être le chia, avec un nom de même...

Bibi : Ça m'étonnerait. J'en mets toujours dans mes *smoothies* avant l'entraînement, et je n'ai jamais mal réagi.

Robin (en s'assoyant finalement et en prenant ma main) : Salut, jolie Léa !

Moi (un peu mal à l'aise) : Allo.

Robin (en se penchant vers mon oreille) : Est-ce que j'ai le droit de t'embrasser devant tes amis, princesse ?

Moi (en chuchotant) : Euh, vaut mieux pas.

Robin : Pourquoi ?

Parce que ton visage ressemble à un légume tempura.

Moi : Parce que je ne suis pas *full* à l'aise avec les démonstrations publiques.

Robin (en souriant) : C'est correct. Je n'ai pas peur d'affronter les obstacles que tu dresses sur mon chemin pour te prouver que je suis ton homme.

Je me suis forcée à sourire avant de reporter mon attention sur le menu.

Bibi : Il paraît que la « salade aux cœurs tendres » est délicieuse.

Alex : T'sais, moi et la salade...

Robin : Pourtant, il y a de grands bienfaits à manger de la laitue. Ça purifie non seulement l'âme, mais ça nettoie le corps.

Bibi (en posant son menu) : Vendu !

Alex : Moi, je vais y aller pour le « duo de pâtes crémeuses ». C'est plus mon genre.

Bibi : Et toi, Léa ?

Moi : « Les calmars de l'amour » ? On ne peut pas dire qu'ils ne s'en soient pas donné à cœur joie avec la thématique de la Saint-Valentin !

Bianca : Personnellement, mon préféré est le « croque ta madame, doux monsieur ».

Robin : Et moi, le « won ton esseulé ».

Moi : Pauvre won ton ! C'est le seul qui a un titre poche. Je pense que je vais prendre ça. Il fait trop pitié.

Alex (en riant) : C'est vrai que c'est en plein ton genre, ça.

Moi (en haussant un sourcil) : Quoi ?

Alex : De t'enticher des choses qui en arrachent.

Moi (en rougissant) : Tellement pas !

Bianca (en intervenant pour tenter de calmer le jeu) : Je crois que ce qu'Alex essaie de dire, c'est que tu es généreuse.

Robin (en prenant ma main, inconscient du fait qu'Alex faisait clairement référence à lui) : Et il a raison. C'est la bonté de ton âme qui m'a d'abord poussé vers toi.

J'ai retiré ma main, puis la serveuse est (heureusement) venue nous interrompre pour prendre notre commande.

Bianca (en levant son verre d'eau) : J'aimerais porter un *toast* à l'amitié et à Saint-Valentin, qui nous permet de nous réunir aujourd'hui !

Robin : Parlant de ça, j'ai une petite surprise pour toi, jolie Léa.

Il a alors sorti une immense boîte en métal de son sac à dos.

Bianca (en tapant des mains) : Wow !

Robin : Pour la fête de l'amour, je voulais t'offrir la compilation de mes écrits depuis le jour où on s'est rencontrés.

J'ai ravalé ma salive en m'efforçant de sourire.

Moi : Oh ! Euh, c'est vraiment... gentil.

Bianca : Et surtout très romantique !

Alex : Pff !

Bianca : Quoi ? Tu ne trouves pas ça chou ?

Alex : Oui, oui. Je faisais juste bâiller. Pff-bââ !

Robin (en me tendant une autre petite boîte en velours) : Et ça, c'est pour me permettre de rester près de toi pour toujours.

Sueur sur mes tempes. Tremblements dans mon corps.

Faites que ce ne soit pas une bague à diamants !

J'ai ouvert, et j'ai plutôt aperçu un anneau tressé.

Robin : C'est tissé avec du chanvre.

Bianca (en s'extasiant comme une animatrice de foule) : Wow ! C'est extraordinaire !

Robin (en me regardant avec des étoiles dans les yeux) : Il n'y a rien de trop beau pour ma princesse.

Moi : Robin, je ne sais pas quoi dire...

Robin (en enfilant l'anneau à mon majeur) : Alors, ne dis rien et profite du moment.

Alex (en pouffant tout bas) : *Carpe diem !* Comme c'est original.

Moi (en le regardant, les sourcils froncés) : Pardon ?

Alex (en affichant un petit sourire suffisant) : Rien. Je chantais.

Robin : Et toi, Alex ? Qu'est-ce que tu as acheté à ta douce moitié ?

Alex (en mangeant un morceau de pain) : Qui, ça ?

J'ai jeté un coup d'œil vers Bianca, qui admirait toujours ma bague.

Moi : Je pense que Robin fait allusion à ta compagne de droite.

Alex (d'un air désabusé) : Hum. Eh bien, contrairement à toi, Robert...

Moi : C'est Robin, son nom.

Alex (en roulant les yeux) : *What ever.*

Bianca (en souriant) : Alex n'adhère pas à cette fête commerciale.

Robin (en haussant les épaules) : Je sais que la Saint-Valentin est une invention capitaliste de la société occidentale, mais rien ne t'empêche de souligner le moment en faisant plaisir à la personne qui occupe ton cœur.

Hum, bien lancé, Robin.

Alex (du tac au tac) : Ouais, mais ça ne veut pas dire que je suis obligé de faire comme toi et de dépenser une fortune pour une fille que je connais à peine et qui n'est même pas officiellement ma blonde.

Moi (piquée à vif) : Qu'est-ce que tu connais de notre relation, Alex ? Et qui es-tu pour juger ?

Il m'a regardée, bouche bée, tandis que Robin se collait contre moi.

Robin : C'est vrai ? Je peux enfin t'appeler « ma blonde » ?

Bianca (en observant la serveuse au loin) : Ah ! Voici enfin nos plats !
Robin (en me chuchotant à l'oreille) : Est-ce que ça veut dire que je peux enfin te présenter à mes parents ?

Inspire. Expire.

J'ai fait la sourde oreille et je me suis concentrée sur le contenu de mon assiette. À mon grand désarroi, mon plat avait l'air aussi pathétique que son nom.

Alex (en observant mon won ton) : Beurk.
Bianca : Il ne faut pas se fier aux apparences. C'est peut-être délicieux, Léa !
Moi (en manipulant mon won ton du bout de ma fourchette) : Je t'avoue que je n'ai pas le courage d'y goûter.
Robin : Veux-tu partager mon tofu ?
Bianca : Je peux aussi t'offrir une partie de ma salade.

Alex (en gardant les yeux rivés sur son plat et en souriant) :
En tout cas, il n'est pas question que je te donne mes pâtes.

Moi : Sérieux, Alex ? C'est la seule chose que tu trouves à
dire ?

Alex : Oui. Pourquoi ?

Bianca (en intervenant avec un ton maternel) : Tu pourrais
aussi partager avec elle, bébé chou.

Alex : Pas question que je sois pénalisé pour ses erreurs de
jugement. Elle n'avait qu'à choisir un classique au lieu de
commander son plat douteux et *lame*.

Moi : C'est toi qui es douteux et *lame*.

Alex (en pouffant et en me faisant de l'attitude) : Relaxe,
Léa. Ce n'est pas comme si je refusais de te donner un
rein !

Moi (en haussant le ton) : C'est quoi ton problème, au juste ?

Alex : Rien, à part que tu fais une crise pour un won ton.

Moi : Tu es tellement de mauvaise foi ! Tu es le premier à
me supplier de te donner de la bouffe quand ton lunch est
dégueu !

Alex (en haussant les épaules) : Tu n'as qu'à dire non.

Bianca (en toussotant et en essayant de changer de sujet) :
En tout cas, la salade est savoureuse ! Toi, Robin ? Ton
tofu ?

Robin (en gardant les yeux rivés sur son assiette, clairement
mal à l'aise) : Super bon. Ils ont mis de la...

307

Moi (en l'interrompant, encore pompée par la dernière réplique d'Alex) : Tu peux être sûr que la prochaine fois, je vais te laisser croupir avec ton vieux sandwich aux œufs.

Alex (en roulant les yeux) : J'ai compris, Léa. Tu ne veux plus partager tes lunchs avec moi. Est-ce que tu peux arrêter de pogner les nerfs, maintenant ?

Moi : Tu as vraiment une attitude chiante et condescendante.

Alex : Pff ! Tu es mal placée pour parler, madame Je-suis-devenue-trop-cool-pour-adresser-la-parole-à-Alex.

Moi : Si je t'évite, c'est parce que tu es devenu insupportable. Arrête de te prendre pour Obama, Alex.

Alex : Et toi, tu penses que tu n'es pas devenue intolérable depuis que Bianca t'a pris en pitié et t'a demandé de participer à une chorégraphie du défilé ? Descends de tes grands chevaux, Léa. Tu n'es pas Kelly Ginger !

Moi (en frappant la table avec mon poing) : Son nom, c'est KYLIE JENNER, et c'est sa sœur Kendall qui est mannequin, tu sauras !

Bianca : En fait, en Californie, j'avais assisté à un défilé où Kylie paradait, elle aussi...

Moi (en l'interrompant) : Et tu sais quoi, Alex Gravel-Côté ? Je ne me laisserai pas insulter comme ça ! Viens, Robin. On va aller célébrer la Saint-Valentin ailleurs.

Bianca (en essayant de me retenir) : *Come on*, Léa. Ne pars pas comme ça...

Moi (en lançant deux billets de vingt dollars sur la table, représentant mon salaire des deux dernières semaines) : Je t'invite, Bibi, car je suis pas mal sûre qu'Alex est trop *cheap* pour le faire.

J'ai pris Robin par la main et je l'ai tiré jusqu'à la sortie. On a enfilé nos manteaux en vitesse et on a marché en silence jusqu'au métro.

Moi (en pénétrant dans la station) : Je suis désolée pour le brunch, Robin. Je ne t'aurais jamais invité si j'avais su que ça finirait comme ça.

Robin : Est-ce que je peux savoir ce qui s'est passé entre Alex et toi ?

Moi : Qu'est-ce que tu veux dire ?

Robin : Je ne suis pas niaiseux, princesse. Je vois bien que votre dispute ne portait pas juste sur une histoire de lunch.

Moi (en haussant les épaules) : Je ne sais pas. Avant, on était inséparables. Puis il s'est passé quelque chose entre nous, et ç'a tout gâché.

Robin : Il est tombé amoureux de toi, c'est ça ? Pas étonnant, avec ton charme et ta bonté.

Moi : Crois-moi, ce n'est pas le cas.

Robin (en m'attirant vers lui) : Pourtant, il avait clairement l'air d'un gars jaloux. Et je ne peux pas le blâmer ; je suis avec la plus belle fille de Montréal !

Moi : Je pense que c'est surtout une question d'ego. Mais assez parlé d'Alex !

Robin : Je suis d'accord. Discutons plutôt de nous.

Il a approché son visage du mien. J'ai fait un effort pour ne pas m'attarder sur les plaques rouges et sur l'enflure qui avait même fait disparaître ses fossettes.

Ne sois pas aussi superficielle, Léa. Le physique n'est pas important. Comme le dit si bien le Petit Prince, l'essentiel est invisible pour les yeux. Concentre-toi plutôt sur sa gentillesse. Et sa générosité. Et sa sociabilité.

Robin a alors posé ses lèvres sur les miennes, et un frisson de dégoût qui n'avait rien à voir avec sa réaction allergique m'a parcouru le corps. Je ne pouvais simplement plus faire semblant.

Moi (en me défaisant de son étreinte) : Robin, je pense que c'est mieux d'arrêter ça là.
Robin : Notre baiser, tu veux dire ? C'est ma face qui te fait peur, hein ? Je suis désolé. J'ai pris des antihistaminiques, alors tout devrait rentrer dans l'ordre d'une heure à l'autre.
Moi : Non, je parlais plutôt de nous deux.

Robin m'a dévisagée.

Robin : Je ne comprends pas.
Moi : Je ne ressens pas la même chose que toi, et je ne veux pas te niaiser.

Robin (en pointant la boîte métallique contenant ses poèmes) : Je pense que tu devrais lire ce qu'il y a là-dedans avant de prendre une décision.

Moi : Ce ne sera pas nécessaire, Robin...

Robin (en posant un doigt sur mes lèvres pour m'interrompre) :
Ô princesse endormie,
Quand enfin réaliseras-tu que je suis le prince qui bercera tes nuits ?
Tes peurs et tes doutes me font souffrir, mais je suis prêt à tout pour te guérir.
Il ne faut pas craindre les feux de notre amour. Il faut plutôt te laisser aller vers moi pour toujours.

J'ai entendu des rires autour de nous. Au. Secours.

Moi : Euh, c'est beau tout ça, Robin, mais j'ai l'impression que quand tu récites tes poèmes, tu t'adresses à la mauvaise personne...

Robin (en s'écriant encore plus fort) :
Dans le raz-de-marée de mes émotions, celle qui hurle le plus fort est ma passion.
Tu dévores mon cœur et mes pensées.
Sans toi, comment ferais-je pour avancer ?
S'il te plaît, ma princesse, donne-moi une chance.
Je serai ton sauveur, tu seras ma vengeance.

Moi (en sentant mon visage s'empourprer) : Robin ! Arrête ça, s'il te plaît !

Robin (en se radoucissant) : Désolé, princesse. Je ne voulais pas te gêner. Je désirais simplement te faire part du fin fond de mes pensées.

Moi : Je trouve ça cool que tu sois aussi ouvert avec ce que tu ressens, Robin, mais je ne peux pas me forcer à ressentir quelque chose qui n'est pas là.

Il a baissé les yeux, visiblement blessé.

Moi (en lui tendant la boîte de poèmes) : Tiens, je me sentirais malhonnête de les garder.

J'ai ensuite retiré l'anneau en chanvre qu'il venait de m'offrir.

Moi (un peu à contrecœur) : Même chose pour ça...

Robin (en refermant ma main sur l'anneau) : Non. Je tiens à ce que tu le gardes. Comme ça, chaque fois que tu le porteras, tu te rappelleras que tu mérites d'être traitée comme une princesse.

Moi (en l'embrassant sur la joue) : Merci, Robin. Pour tout.

Je l'ai serré dans mes bras, puis je suis rentrée chez moi, le cœur gros. Non seulement j'avais fait de la peine à Robin, mais je réalisais que ma dispute avec Alex venait de tirer un trait plus définitif sur notre amitié.

Et comme mes malheurs n'arrivent jamais seuls, j'entends Félix roucouler au téléphone depuis mon arrivée. Voici donc le long résumé du drame qu'est devenue ma vie.

Mais là, je dois te laisser, car j'ai promis à ma mère de l'aider à cuisiner un souper « spécial de la Saint-Valentin ». En espérant que ça ne finisse pas en bouillie de Félix Olivier !

Léa xox

Chapitre 7 :
Bonne fête, Lou !

📱 17-02 22 h 26

Salut, Léa! Je ne te dérange pas?

📱 17-02 22 h 27

Allo, Éloi! Au contraire, je viens juste d'envoyer mes demandes d'admission dans quatre cégeps et j'ai le goût de célébrer avec quelqu'un! Je me sens tellement plus légère!

📱 17-02 22 h 27

Je te comprends! J'ai fait ça la fin de semaine dernière et je suis tellement content que ce soit fini. Là, il ne reste plus qu'à attendre!

📱 17-02 22 h 27

Pff! C'est sûr que tu vas être accepté partout.

📱 17-02 22 h 28

Regarde qui parle! 😉

📱 17-02 22 h 28

Ce serait cool de se ramasser dans le même cégep. C'est sûr qu'on aurait des cours ensemble!

📱 17-02 22 h 28

Mets-en! Mon premier choix, c'est celui de Félix. Toi?

📱 17-02 22 h 28

Moi aussi, mais seulement parce que je sais qu'il ne sera plus là.

📱 17-02 22 h 29

J'en déduis que c'est encore la guerre entre vous?

📱 17-02 22 h 29

J'appellerais plus ça de l'évitement volontaire.

📱 17-02 22 h 29

Et avec Alex, c'est quoi? Un concours pour déterminer qui va bouder le plus longtemps?

📱 17-02 22 h 30

Si c'est le cas, je peux déjà me déclarer gagnante, car il est hors de question que je cède en premier. Il a vraiment dépassé les bornes au resto.

📱 **17-02 22 h 30**

Vous avez chacun votre version des événements, Léa.

📱 **17-02 22 h 30**

Je ne sais pas ce qu'il t'a raconté, mais je te jure qu'il était odieux.

📱 **17-02 22 h 31**

Je n'en doute pas, mais je ne veux pas m'en mêler. Je trouve juste ça plate que vous arrêtiez d'être amis à cause d'une dispute aussi idiote.

📱 **17-02 22 h 31**

Tu sais comme moi que c'est plus compliqué que ça.

📱 **17-02 22 h 31**

Ouais, mais l'année s'achève et on a plein de projets cool qui s'en viennent. Ce serait le fun de vivre ça tous ensemble, non ?

📱 **17-02 22 h 31**

Dans un monde idéal, genre celui de Dora, oui.

📱 17-02 22 h 32

Tu vas me trouver optimiste, mais je garde quand même espoir que ça s'arrange, votre affaire.

📱 17-02 22 h 32

Parle-moi plutôt de tes histoires de cœur. Ça fait longtemps que je n'entends plus parler de Sandrine. Comment ça évolue avec elle?

📱 17-02 22 h 32

Lentement, mais sûrement. En fait, depuis que ton frère passe tout son temps avec tu-sais-qui, je n'avais presque plus d'occasions de la voir. J'ai donc dû prendre mon courage à deux mains et suivre tes conseils.

📱 17-02 22 h 33

C'est-à-dire?

📱 17-02 22 h 33

Que je l'ai appelée la fin de semaine dernière pour l'inviter au cinéma. Ce n'est pas une déclaration d'amour, mais c'est assez direct, merci.

☐ 17-02 22 h 33
....

En effet! Bravo, Éloi. Je suis fière de toi! Elle a accepté, j'espère?

☐ 17-02 22 h 33
....

Non, mais seulement parce qu'elle avait déjà des plans avec des amies. On a donc remis ça à samedi.

☐ 17-02 22 h 34
....

Es-tu nerveux?

☐ 17-02 22 h 34
....

Non, parce que j'ai convaincu ton frère de venir avec nous.

☐ 17-02 22 h 34
....

Avec sa blonde.

☐ 17-02 22 h 34
....

Qui est aussi mon ex.

☐ 17-02 22 h 35
....

Wow. C'est spécial, votre quatuor!

📱 **17-02 22 h 35**

J'espère que tu ne perçois pas ça comme un geste déloyal ?

📱 **17-02 22 h 35**

Mais non ! Je te connais trop bien pour ça.

📱 **17-02 22 h 35**

Tant mieux ! Je voulais aussi te parler du défilé. Je sais à quel point Marianne t'énerve en ce moment, mais Éric insiste pour que tu poursuives ta couverture...

📱 **17-02 22 h 36**

Ne t'en fais pas. J'ai déjà terminé mon article. Ça s'intitule « Le cauchemar se poursuit ». C'est punché, hein ?

📱 **17-02 22 h 36**

Ha ! Ha ! Mets-en ! Mais est-ce que je peux te donner un petit conseil ?

📱 **17-02 22 h 36**

Si c'est d'être moins cynique, alors c'est non. C'est mon mode de survie, en ce moment ! 😉

....

Ne t'en fais. Je ne te changerais pour rien au monde ! 😊 En fait, je voulais simplement te rappeler qu'après la dernière répétition, tu étais super fière de toi, car Marianne t'avait aidée à surmonter certaines difficultés. Je sais qu'elle t'énerve au plus haut point, mais je pense que tu ne perds rien à profiter de ses forces.

....

Je vais faire mon possible.

....

Cool. Maintenant, va célébrer ! C'est une grande étape l'envoi des demandes !

....

Je sais ! Je m'en vais de ce pas engloutir un immense bol de crème glacée au chocolat.

....

Super. À demain ! xx

....

À demain xox

À : Léa_jaime@mail.com
De : Marilou33@mail.com
Date : Dimanche 21 février, 07 h 17
Objet : Bonne fête à moi...

Salut !

Je viens de voir que j'avais sept appels en absence de toi, et j'ai bien reçu ton message vocal. Merci d'avoir pensé à mon anniversaire à minuit pile. Ça me fait vraiment chaud au cœur. D'autant plus que je paierais cher pour me retrouver à Montréal en ce moment. Heureusement que j'arrive dans dix jours.

Comme tu sais, JP et moi avions prévu de sortir au restaurant ce soir pour célébrer mon anniversaire. Il est donc venu me chercher chez ma mère à dix-huit heures tapantes. Il avait un immense bouquet de fleurs dans les mains.

Lui (en me souriant) : Bonne fête !

Moi : Officiellement, j'ai encore seize ans jusqu'à demain, quatorze heures.

Ma mère (en se joignant à nous) : Quatorze heures onze minutes. Crois-moi, je m'en souviens.

Moi (en roulant les yeux) : Ah, non ! Pas encore l'histoire de ma naissance !

JP (en riant) : Je ne l'ai jamais entendue, moi !

Ma mère (les yeux lumineux) : J'étais enceinte de quarante-et-une semaines et je ne savais plus quoi faire de ma peau. C'était un hiver rude, mais Marilou refusait de sortir. Un jour, le 21 février pour être plus précise, son père m'a proposé de faire une balade, car l'exercice pouvait aider à stimuler le travail. Ça devait faire vingt minutes qu'on marchait quand j'ai senti quelque chose couler sur mes jambes. J'ai perdu mes eaux entre deux bancs de neige ! Les contractions ont commencé quelques secondes plus tard et se sont intensifiées en quelques minutes. Le père de Marilou a couru jusqu'à la maison pour aller chercher l'auto, mais en route vers l'hôpital, j'ai bien senti que mon bébé était déjà impatient de sortir. On s'est rangés sur le bord de l'autoroute, et j'ai finalement accouché dans la voiture. Comme quoi ma grande fille a toujours été décidée et extrêmement fonceuse !

Elle m'a regardée d'un air ému.

Ma mère (en me caressant les cheveux) : Je n'arrive pas à croire que tu as dix-sept ans. Il me semble qu'hier encore je te berçais pour t'endormir ! Bonne fête, ma grande.
Moi (un peu émue aussi) : Merci, maman. Mais on pourra célébrer en famille demain.
Ma mère : Oui ! Ce soir, c'est en amoureux que ça se passe ! Prends bien soin d'elle, JP.

JP (en riant) : Je vous le promets, madame. Et merci pour la petite histoire. Ça m'aide à mieux comprendre certaines choses à propos de ma blonde !

On est sortis et JP a conduit jusqu'au nouveau restaurant italien situé à vingt minutes de chez nous.

Moi (en entrant dans le resto et en admirant le look *vintage* de la place) : Wow ! C'est beau, ici !

JP : Tu vois ? Ce n'est pas que dans les grandes villes qu'on retrouve des endroits sympathiques.

Moi (en m'efforçant de garder mon sourire) : Hum, hum.

JP (en suivant le maître d'hôtel jusqu'à notre table) : Il paraît que le chef cuisinier a même décidé de quitter son emploi dans un grand resto de Montréal pour venir s'établir ici.

Moi (en hochant la tête) : Hum, c'est cool.

JP (en s'assoyant en face de moi) : Mets-en ! On ne peut pas juste avoir des déserteurs. Ça nous prend aussi des gens qui aiment suffisamment notre région pour s'y installer.

J'ai détourné le regard pour contempler les plantes qui pendaient du plafond en métal. Je voyais bien que son discours enflammé était une tentative maladroite de me vendre les richesses de notre coin de pays. Et même si ça m'agaçait un peu qu'il continue à s'acharner sur le sujet en me traitant indirectement de « déserteur », j'ai choisi de ne rien dire, car c'était mon anniversaire et que j'avais envie de passer une soirée agréable.

Notre serveur est ensuite venu nous expliquer les plats, puis il a pris notre commande.

JP : Je vais y aller pour la morue. Après tout, quoi de mieux que la bouffe locale !
Moi : Et moi, je vais prendre la lasagne, s'il vous plaît.

Le serveur s'est éloigné et JP m'a regardée d'un drôle d'air.

Moi : Quoi ? On est dans un resto italien, non ? J'ai bien le droit de choisir la spécialité de la maison !
JP : Oui, oui. Je pensais à autre chose.
Moi : À quoi ?
JP (en se mordant la lèvre inférieure) : À rien.
Moi : *Come on*, JP. Dis-moi.

Il a pris une profonde inspiration avant de poursuivre.

JP : Ben, je sais que la date limite des inscriptions pour le cégep approche, et je me demandais où tu en étais.
Moi : Mes demandes sont déjà envoyées.
JP (surpris) : Ah ouais ? As-tu fait ça pendant notre *break* ?
Moi : Non. J'ai fini cette semaine.

JP (visiblement blessé) : Et tu n'as pas cru bon de m'en parler ?

Moi : Euh, non.

JP : Pourquoi ?

Moi : Parce que je croyais que c'était plus les réponses qui importaient.

JP : Les demandes aussi. Surtout quand ç'a un impact direct sur l'avenir de notre couple.

J'ai détourné le regard. Je sentais qu'on s'engageait sur un terrain miné, et c'est le genre de choses que j'aurais aimé éviter la veille de ma fête.

Moi (en restant calme) : Je croyais qu'on avait déjà réglé cette question, JP.

JP : Non. On l'a juste balayé en dessous du tapis.

Moi : Qu'est-ce que tu veux savoir, au juste ?

JP : Tes plans.

Moi : Tu les connais déjà, *babe*.

JP : Rafraîchis-moi la mémoire, s'il te plaît.

Moi (en soupirant) : J'espère être admise au cégep à Québec, et j'aimerais beaucoup que tu m'y rejoignes un jour.

JP a poussé un petit soupir offusqué.

JP : « Un jour » ?

Moi : Ben oui. Quand tu te sentiras prêt.

JP : Et par curiosité, est-ce que ce que tu as aussi fait une demande à mon cégep ?

Moi : Non.

Il a baissé les yeux, et le serveur est arrivé avec nos plats.

Moi (en m'efforçant de garder ma bonne humeur) : Miam. Ç'a l'air délicieux. Bon appétit !

Il a pris une bouchée de son poisson.

Moi : C'est bon ?

Il a haussé les épaules en guise de réponse.

Moi (en déposant ma fourchette) : *Come on*, JP ! C'est ma fête ! Peux-tu changer d'air, s'il te plaît ?

JP : Je sais que le *timing* est poche, mais je ne suis pas capable de faire semblant d'être de bonne humeur.

Moi : Tant qu'à me faire une face de bœuf, dis-moi au moins à quoi tu penses !

Il a pris une autre bouchée, puis il a secoué la tête.

JP : J'aime mieux pas.

Moi : *Babe*, si tu continues à marcher sur des œufs, tu vas te ramasser avec une omelette.

J'ai réussi à le faire sourire.

Moi : Pour vrai, dis-moi donc ce que tu as sur le cœur au lieu de bouder.

JP (en levant les yeux vers moi) : Pourquoi tu n'as pas envoyé de demande à mon école ?

Moi : Parce que je n'en voyais pas l'intérêt.

J'ai vu la mâchoire de JP se reserrer.

Moi (sur la défensive) : Pourquoi m'inscrire là où je n'ai pas envie d'aller ?

JP : Pour assurer tes arrières si tes autres plans ne fonctionnent pas. Et pour me rendre heureux.

Sa dernière réplique m'est rentrée dedans comme un dix-huit roues. Il venait de déterrer les doutes que j'avais enfouis au fin fond de mon esprit lors de notre fameux *break*.

Moi : Je ne peux pas faire ça, Jean-Philippe.

JP : Qu'est-ce que tu veux dire ?

Moi : Que je ne peux pas fréquenter ton cégep et laisser tomber mes rêves à dix-sept ans, simplement pour te rendre heureux. Je sais que ça sonne vraiment égoïste, mais il faut que je pense à moi.

JP (en émiettant son poisson avec sa fourchette) : Donc si je comprends bien, c'est à moi de faire tous les compromis ?

Moi : Non.

JP : Je ne comprends pas.

Moi : Je ne veux pas non plus que tu sacrifies ton avenir et ton bonheur pour te plier à ce que j'ai envie de faire.

JP : Donc tu suggères quoi ? Qu'on vive une relation à distance jusqu'à l'infini ?

J'ai fermé les yeux. C'était le pire souper d'anniversaire de ma vie.

Moi : Il n'y a pas cinquante-six solutions, JP.

JP : Je pensais que tu avais réalisé que tu étais prête à être dans une relation sérieuse avec moi ?

Moi : Oui, mais pas au détriment de mes rêves.

JP : Alors quoi ? On reste ensemble en sachant très bien qu'en septembre tu partiras à Québec et que je resterai ici ?

Moi (en haussant les épaules) : Je ne me vois pas passer ces mois-là sans toi.

JP : Et moi, je ne me vois pas dans une relation qui a une date d'expiration. Ça va toujours revenir nous hanter, Lou. Tout comme notre blocage physique.

Il a soupiré, puis il m'a regardée, les yeux pleins d'eau.

JP : Je t'aime.

Moi : Moi aussi, mais j'ai l'impression que si on continue comme ça, on va finir par se détester. Et je n'ai pas envie de ruiner tout ce qu'on a vécu ensemble.

JP : Moi non plus.

Il a pris ma main. Sans même avoir à prononcer les mots, je savais qu'on était en train de se séparer. La veille de mon dix-septième anniversaire. Bonne fête à moi.

On a passé près de vingt minutes à se tenir la main en silence, sans toucher à nos assiettes. C'est finalement le serveur qui est venu interrompre notre moment de tendresse en nous demandant si nous avions aimé nos plats (une question légitime puisque nous n'avions pratiquement rien mangé) et si nous désirions autre chose.

JP : L'addition, s'il vous plaît.

Il a payé et nous sommes sortis du restaurant sans rien ajouter. Tout avait été dit. Dans la voiture, j'ai regardé le paysage en tenant la main de JP.

Ce n'est qu'une fois arrivé devant ma maison qu'il a brisé le silence.

JP : J'ai un cadeau pour toi.

J'ai senti les larmes me piquer les yeux.

Moi : Mais, je...
JP (en laissant les siennes couler sur ses joues) : Non. C'est ta fête, et je tiens à te l'offrir.

Il a sorti un gros sac de l'arrière de sa voiture. J'ai enlevé le papier de soie et j'ai aperçu un immense sac d'école en cuir noir.

Moi (en écarquillant les yeux) : Wow !
JP : Je me suis dit que ça te serait utile en septembre. Et comme il a été fait par une artiste d'ici, tu pourras dire à tes futurs amis que notre village n'a rien à envier à la grande ville.

J'ai ri et je l'ai serré contre moi. C'est là qu'on a éclaté en sanglots. On a pleuré ensemble pendant près de dix minutes, puis je me suis forcée à sortir de sa voiture.

Lorsque je suis rentrée dans la maison, j'étais encore en larmes.

Ma mère (en se précipitant vers moi) : Lou, t'es déjà rentrée ? Mais pourquoi tu pleures ? Qu'est-ce qui s'est passé ?

Je lui ai raconté toute l'histoire. De mes constats pendant le *break*, à la tension qui régnait entre nous depuis qu'on avait repris, jusqu'à la décision de ce soir.

Moi (en morvant sur sa chemise) : Je sais que j'aurais pu attendre, maman. Tu me répètes toujours qu'il vaut mieux traverser le pont quand on y est arrivés. Mais je ne suis pas capable. C'est comme si on remettait l'inévitable à plus tard et qu'on se disputait tout le temps à propos de ça.

Ma mère (en me caressant les cheveux) : Aussi difficile soit-elle, je pense que vous avez pris la bonne décision, ma chouette. Car comme tu l'as si bien dit à Jean-Philippe, vous ne voulez pas ruiner tous vos beaux souvenirs.

Moi : Oui, mais c'est tellement difficile, maman. Ce n'est pas comme si on se laissait parce qu'on ne s'aimait plus...

Ma mère : Je sais. Je crois que ce sont les ruptures les plus difficiles, car ce sont elles qui nous semblent les plus injustes, mais je suis là pour toi, Lou, et je te promets que tu vas t'en remettre.

J'ai pleuré dans ses bras pendant plus d'une heure, et ma mère en a profité pour me bercer et me chanter des chansons, comme quand j'étais toute petite. J'ai finalement réussi à m'endormir dans son lit, mais je me suis réveillée il y a une heure avec un immense trou dans la poitrine. Je sais que tu connais le *feeling* ; c'est la pire douleur au monde.

Comme je ne voulais pas réveiller ma mère, j'ai regagné ma chambre sur la pointe des pieds pour t'écrire tout ça. Ça valait mieux qu'un appel téléphonique aux aurores, un samedi matin !

Et là, je vais rejoindre mon petit frère dans la cuisine. Ma mère et lui sont censés me cuisiner des crêpes aux bleuets pour mes dix-sept ans. Bonne fête, Lou. Voici une belle peine d'amour en cadeau. 😢

Appelle-moi dès que tu peux.

Lou xox

Mardi 23 février

Katherine (en ligne): Salut! Qu'est-ce que tu fais?

20 h 22

Léa (en ligne): Je viens de raccrocher avec Marilou sur Skype. Elle file un mauvais coton depuis qu'elle et son chum ont cassé. Heureusement qu'elle vient passer une partie de la relâche à Montréal. Ça va lui changer les idées.

20 h 22

Katherine (en ligne): Ark. Pauvre elle. C'est tellement dégueu les peines d'amour.

20 h 23

Léa (en ligne): Ouais, d'autant plus que ça faisait plus de deux ans qu'ils sortaient ensemble... 😢

20 h 23

Katherine (en ligne): C'est elle qui a cassé?

20 h 23

Léa (en ligne): Je dirais plus que c'est une décision commune, mais ça ne rend pas la chose plus facile. Et toi? Quoi de neuf? C'est à peine si je te croise à l'école!

20 h 24

Katherine (en ligne): Je sais. Depuis que Bibi a devancé la date du défilé, je passe pratiquement chaque heure de la journée à travailler sur les chorégraphies. D'ailleurs, j'assisterai à l'enchaînement de la tienne demain après l'école.

20 h 24

Léa (en ligne): Tant mieux. J'ai besoin d'une alliée contre Marianne et son armée de nunuches.
D'autant plus que j'ai répété mes déplacements tantôt, et que ça va très mal, mon affaire. Je suis tellement angoissée, Kath! Je suis sûre que je vais avoir l'air folle avec mes mimiques de tigresse ratée! Ça, c'est sans compter que je dois faire un exposé oral en anglais demain devant toute la classe et que j'ai des maux de ventre juste à y penser. Je pense que je ne fermerai pas l'œil de la nuit.

20 h 26

Katherine (en ligne): Veux-tu m'appeler avec la caméra pour pratiquer?

20 h 26

Léa (en ligne): J'ai bien trop honte! Je préfère me ridiculiser devant le miroir. Change-moi plutôt les idées. As-tu un bon potin pour moi?

20 h 26

Katherine (en ligne): Hum, je ne sais pas si je classerais ça dans cette catégorie, mais j'ai recommencé à parler à Oli...

20 h 26

Léa (en ligne): Euh, j'exige des détails !

20 h 27

Katherine (en ligne): Comme tu le sais, il me manque beaucoup. Comme ami, en tout cas. Et depuis que je sais qu'il ne se passe rien entre lui et Marianne, c'est comme si ma colère s'était estompée. En fin de semaine, je lui ai donc envoyé un bon vieux *poke* sur Messenger. Il a trouvé ça drôle. On a chatté pendant près d'une heure, et demain, on est censés dîner ensemble au café proche de l'école.

20 h 27

Léa (en ligne): C'est une très bonne nouvelle, ça !

20 h 28

Katherine (en ligne): Et ce qui est très cool et nouveau dans tout ça, c'est que je n'ai aucune attente. J'y vais une étape à la fois.

20 h 28

Léa (en ligne): Si seulement c'était aussi simple entre Alex et moi et que notre dispute pouvait se régler par un *poke*...

20 h 28

Katherine (en ligne): Il suffirait que l'un de vous deux fasse le premier pas...

20 h 29

Léa (en ligne): Et ce n'est pas près d'arriver.

20 h 29

Katherine (en ligne): Je sais qu'Alex a été vraiment poche dans sa gestion de votre amitié post-*french*, mais c'est un gars, Léa. Il est limité.

Léa (en ligne): Ha! Ha! C'est un bon résumé de la situation, mais on dirait que je n'arrive pas à passer l'éponge. Je sens qu'il me doit vraiment des excuses pour son attitude condescendante et ses remarques blessantes.

20 h 29

Katherine (en ligne): Je comprends. Je trouve juste ça dommage pour vous deux que ça se termine comme ça.

20 h 30

Léa (en ligne): Moi aussi, mais j'ai de plus gros soucis en ce moment. Comme ma démarche de tigresse obèse, et le fait que je devrai enfiler trois mots d'anglais sans mourir de honte devant Maude et Marianne. D'ailleurs, je dois te laisser pour aller pratiquer tout ça.

20 h 31

Katherine (en ligne): Je suis sûre que tout va bien aller. On se voit demain! *Luv!* xox

20 h 31

Léa (en ligne): À demain! xx

À : Marilou33@mail.com
De : Léa_jaime@mail.com
Date : Jeudi 25 février, 21 h 21
Objet : Quand on se compare, on se console !

Salut, Lou !

Comment vas-tu ? Résistes-tu encore à l'envie d'appeler ou de texter JP ? Comme je te disais mardi, je crois aussi que c'est mieux de couper les ponts pour l'instant, question de digérer ce qui s'est passé. Dis-toi qu'au moins, vous ne fréquentez plus la même école, et que ça te permettra de prendre du recul plus facilement. Sans compter que tu arrives ici dans une semaine et que j'ai prévu plein d'activités cool pour te changer les idées. Jeudi, j'ai pris un rendez-vous pour deux pédicures et deux manucures, et vendredi, on fera la tournée des boutiques du centre-ville ! Samedi soir, Jeanne profitera de l'absence de ses parents pour organiser une soirée de filles, ce qui tombe très bien parce qu'on aura toutes besoin de décompresser.

Comme je sais que tu passes une semaine plutôt difficile, j'ai quelques anecdotes croustillantes et suffisamment humiliantes pour toi qui te feront momentanément oublier ta peine.

Pour te faire un court résumé, imagine-toi donc que d'ici ton arrivée, je dois passer une journée de congé à l'école pour travailler mes déplacements de la chorégraphie en tête-à-tête avec Marianne et que je suis aussi forcée de passer tout un après-midi avec Alex. Oui, tu as bien lu. Je sais qu'il y a quelques mois, cette nouvelle m'aurait enchantée, mais là, je préférerais encore enfiler mon costume de tigresse obèse et défiler dans la rue Sainte-Catherine.

Tout ça est arrivé hier, lors de la dernière période de la journée. Je devais faire un exposé d'anglais à propos de mes rêves d'avenir. C'est une façon de nous faire appliquer le futur simple, qui n'est pourtant pas très compliqué pour la majorité des humains, mais qui s'avère un véritable calvaire pour moi.

Le prof : *Léa, it's your turn, now.*
Moi (en rougissant) : *What ?*
Maude : C'est à ton tour, épaisse.

Quelques rires de la classe. Flashback douloureux de mon secondaire 3.

Le prof : *Maude, I already told you not to speak like that to your friends.*
Maude : Léna n'est pas mon amie, monsieur.

Le prof a soupiré et m'a fait signe d'avancer devant la classe. Je m'agrippais à mes petits cartons comme si ma vie en dépendait.

Moi : Euh, *today, I have to talk about*, euh, *what*, euh, *I would like to do when I grow up.*

Maude s'est mise à rire. J'ai levé les yeux vers elle, et j'ai remarqué qu'elle essayait d'attirer l'attention de Marianne pour que cette dernière se joigne à son plaisir.

Maude : En tout cas, j'espère que tu ne veux pas devenir *public speaker*, parce que ta carrière est mal partie.

Tous les élèves ont éclaté de rire, à l'exception de Jeanne et de Marianne.

Jeanne : Tais-toi, Maude.
Marianne : Jeanne a raison. Donne-lui donc un *break*.
Maude (en la dévisageant) : Pardon ?
Marianne : Ce n'est pas de la faute de Léa si elle est poche en anglais. Elle vient du fin fond du Québec.

Je ne savais pas trop si je devais interpréter la remarque de Marianne comme une insulte ou si je devais lui être reconnaissante d'avoir cloué le bec de Maude.

Moi (en m'efforçant de poursuivre) : Je... euh, *I would like to be an* écrivaine. *Or maybe a journalist and travel all around the* planète.

Maude : Et qu'est-ce que tu comptes faire pour communiquer avec les gens, tête de nœud ? Utiliser le langage des signes ?
Jeanne : Maude, tu es vraiment lourde.
Maude : Pff.
Marianne : Sérieux, Maude. Arrête d'agir en *bitch*.

J'ai écarquillé les yeux et j'ai retenu mon souffle.

Maude (en la dévisageant) : C'est quoi, ton problème ? Maintenant que tu sors avec son frère, tu te considères comme une Olivier ? Désolée de te décevoir, ma chérie, mais tu ne pourras jamais descendre aussi bas.
Le prof : C'est assez ! Maude *and* Marianne, sortez de lé *classroom* !
Marianne : Mais monsieur, je n'ai rien fait à part prendre la défense de Léa !
Le prof : DÉHORS !

Les nunuches sont sorties et j'ai poursuivi mon exposé de peine et de misère. Au moins, il n'y avait plus Maude pour m'interrompre et me bombarder d'insultes toutes les trois minutes.

Quand la cloche a finalement mis fin à mon supplice, le prof a demandé à me parler.

Moi : Oui, monsieur ?

Le prof : Léa, jé suis un peu *concerned*.

Moi : Euh, c'est quoi, « *concerned* » ?

Le prof : Inquiet. Jé trouve que ton anglais ne s'est pas assez amélioré dépouis les dernières années.

Moi : Ben, je comprends plus qu'avant. C'est déjà ça.

Le prof : Oui, mais jé suis inquiet pour ton *final paper*. Il faut que tu travailles plou fort.

Moi : J'essaie, monsieur. Je me force même à regarder *Riverdale* en anglais, mais on dirait que les fils se touchent dans ma tête quand j'essaie de composer un texte ou de parler devant les autres.

Le prof (en consultant ses papiers) : La vérité, c'est que tes notes sont *not good*. Très basses depuis lé début dé l'année.

Moi (en m'efforçant de rester positive) : Au moins, je suis au-dessus de la note de passage.

Le prof : De 1 %. Et jé peur qu'avec le *final paper*, ça finisse en échec. Ça pourrait té causer des ennuis pour ton admission au cégep.

Moi (en perdant mon sourire) : Vous proposez quoi, alors ?

Le prof (en consultant encore ses notes) : Qué tu te fasses aider par un élève plou avancé.

Moi (en haussant les épaules) : OK. Je vais demander à Jeanne. Elle est habituée de me donner un coup de main en anglais.

Le prof : *No. I would prefer someone who is not in this class.*

Je l'ai regardé avec des yeux de merlan frit.

Le prof (un peu découragé) : *See ?* Cé né pas normal que tu né comprennes jamais quand jé parle en anglais. *Anyways,* je disais que je préfère te jumeler avec quelqu'un de mon autre groupe. Ils sont plou avancés, et je pense qu'ici l'atmosphère est *very toxic.*

Quelqu'un a alors frappé à la porte. Mon cœur a fait un bond lorsque j'ai aperçu Alex à quelques mètres de moi.

Alex : Vous vouliez me voir, monsieur ?

Le prof : *Yes, Alex. I would like you to help Léa for her final paper. She really needs to have a good grade.*

Moi (avant même qu'Alex ne réponde) : Euh, monsieur ? La bonne nouvelle, c'est que j'ai compris votre dernière phrase. La mauvaise, c'est qu'Alex ne peut pas m'aider.

Le prof (en haussant un sourcil) : Pourtant, c'est loui qui a lé meilleures notes.

Moi (surprise) : Pour vrai ? Ah. Mais quand même. Je pense que c'est mieux de me jumeler à quelqu'un d'autre.

Le prof : *Why ?*

Alex (un peu pour me provoquer) : Ouin, Léa. *Why?*

Moi : Euh, parce qu'Alex est déjà trop occupé avec l'organisation du voyage en France et sa présidence...

Le prof : Justement. *He is the president*, et c'est son travail de *step up* quand un camarade a dé ennouis.

Alex : Vous avez raison, monsieur.

Le prof (satisfait) : *Good. It's also a good thing for your* dossier académique. Il mé faut lé plan de Léa *in two weeks. Have a good day, you two !*

Il est sorti et je me suis tournée vers Alex en serrant les poings.

Moi : Étais-tu obligé d'accepter ?

Alex : Tu l'as entendu. Ça fait partie de mes fonctions de président de venir en aide à mes camarades en difficulté.

Il a esquissé un petit sourire suffisant pour me faire pomper davantage.

Moi : Et tu crois vraiment que tu es le mieux placé pour m'aider ?

Alex (en haussant les épaules) : C'est moi qui ai les meilleures notes.

Moi : Depuis quand t'es *nerd*, toi ?

Alex : Depuis que je passe plus de temps à étudier qu'à niaiser avec toi.

Moi : Désolée d'avoir rendu ton existence *si* difficile.

Alex (en ignorant mon sarcasme et en consultant son agenda) : Bon, est-ce qu'on peut se fixer un rendez-vous, là ?

Moi : T'es vraiment sérieux ?

Alex : Oui, pourquoi ?

Moi (en posant mes mains sur mes hanches) : Je n'ai pas envie de perdre mon temps avec quelqu'un qui se croit supérieur aux autres.

Alex : Relaxe ! Le prof ne nous a pas demandé de devenir des meilleurs amis. Il veut juste que je te donne un coup de main dans ton travail.

Moi (en croisant mes bras sur ma poitrine et en détournant le regard) : Et moi, je te répète que je n'ai pas besoin d'aide.

Alex : Peux-tu arrêter d'agir comme une enfant de deux ans, s'il te plaît ? Si tu ne fais rien, tu vas couler ton année, Léa.

Moi (en roulant les yeux) : *Fine.*

Alex (en souriant) : Tu viens de prononcer un mot en anglais. Je vois que ma présence a déjà des effets positifs.

Je lui ai lancé un regard noir.

Alex (en consultant son agenda) : Mon horaire est pas mal chargé, mais on pourrait se voir lundi matin pour travailler sur ton plan.

Moi : Lundi, c'est congé.

Alex : *So* ?

Moi : *SO*, je n'ai pas envie de me réveiller à sept heures pour discuter de mon travail d'anglais.

Alex (en haussant les épaules) : C'est quand même mieux que de passer ton été à suivre des cours de récupération, non ?

J'ai poussé un soupir.

Moi : À quelle heure ?

Alex : À neuf heures chez moi.

Moi : Non.

Alex : Pourquoi ?

Moi : Parce que si je vois un membre de ta famille, je vais être obligée d'être gentille et souriante. Je préfère un terrain neutre.

Alex (en riant) : Sérieux, Rongeur, décoince !

J'étais surprise qu'il utilise mon surnom.

Moi : Non.

Alex (en roulant les yeux à son tour) : *Fine*. Neuf heures au Café Pélican, près de chez vous. Je vais souvent étudier là avec Bianca et c'est calme, comme endroit.

Moi (en ramassant mes livres et en sortant sans même me retourner) : Parfait. À lundi.

Alex (derrière moi) : *Bye*, Léa. De rien, en passant !

Même si notre rencontre forcée m'avait mise à l'envers, je n'avais pas le temps de m'y attarder puisque Bianca, Marianne, Lydia, Sophie et Katherine m'attendaient dans le gymnase pour répéter ma chorégraphie.

Bianca (en m'apercevant) : Enfin, tu es là ! Il ne faudrait pas que tes retards deviennent une habitude, Léa.

Moi (en consultant l'horloge au-dessus de sa tête) : Il est seize heures et une.

Marianne (en passant près de moi et en chuchotant) : Ne l'obstine surtout pas. Elle est ultra stressée par l'approche du défilé...

Bianca (en l'interrompant) : Ce n'est pas ça qui me stresse ; c'est le fait que rien n'est prêt et que personne ne semble s'en préoccuper.

Katherine : Ce n'est pas vrai, Bibi. On est plusieurs à travailler là-dessus jour et nuit !

Bianca a fermé les yeux et a pris une profonde inspiration.

Bianca : Tu as raison, Katherine. Je suis désolée de vous tomber dessus comme ça, mais je vous avoue que je panique un peu. Après tout, ce n'est pas le premier défilé que j'organise, mais c'est de loin celui où mes mannequins ont le moins d'expérience.

Moi (en lançant un regard vers Katherine) : Je me sens un peu visée.

Bianca (en s'avançant vers moi et en retrouvant son attitude positive) : Non. Toi, je suis certaine que tu seras celle qui créera la plus grande surprise.

Moi : Hum ?

Bianca : Tu n'as aucune foi en ton potentiel, mais tu es capable du meilleur, Léa.

Moi (sceptique) : Euh, OK.

Bianca (en frappant des mains) : Sur ce, commençons la répétition. Marianne, Lydia et Sophie, prenez vos positions. Léa, va te mettre derrière.

La voix de Katy Perry a commencé à surgir des haut-parleurs, m'indiquant qu'il était temps d'enchaîner mes déplacements.

Bianca a alors fait signe à Katherine de couper la musique.

Bianca : Léa, qu'est-ce qui se passe ?

Moi : Euh, rien. Pourquoi ?

Bianca : Tu es partie du mauvais côté.

Moi (en réalisant mon erreur) : Ah, oui. Désolée.

Bianca : Ça va. On reprend ça !

La musique a repris et j'ai effectué quatre ou cinq mouvements, puis j'ai eu un trou de mémoire. Quand les tigresses rugissaient, étais-je censée me lancer par terre ou sauter dans les airs ? Je ne me souvenais plus quelle réaction venait en premier.

Bianca : STOP !

Katherine a interrompu la musique.

Bianca : Léa, pourquoi tu ne bouges plus ?
Moi : Euh, j'ai oublié mes mouvements.
Sophie : Tu n'avais qu'à t'entraîner chez toi au lieu de lire le Guide de la parfaite *loser* !
Moi : C'est ce que j'ai fait, tu sauras ! Mais j'ai eu un blanc. Ça arrive à tout le monde.
Lydia : Surtout aux ratés comme toi.
Marianne : Vos gueules, les filles !
Bianca : On se calme, tout le monde. Léa, je te demanderais d'être un peu plus attentive, OK ? On dirait que tu n'as pas toute ta tête, aujourd'hui.

Sophie a chuchoté une autre insulte qui a fait rire Lydia aux larmes, et la voix de Katy s'est de nouveau fait entendre.

J'ai pris une profonde inspiration et j'ai enchaîné mes mouvements jusqu'à la fin de la chorégraphie. Quand la musique s'est arrêtée, j'ai levé un poing victorieux dans les airs.

Moi : *Yes !*

Sophie : Arrête de te prendre pour Céline, Léna. Ta performance fait vraiment pitié.

J'ai froncé les sourcils et j'ai jeté un regard vers Bibi afin qu'elle me rassure, mais elle avait l'air tout aussi *concerned* (pas pire, hein ?) que le reste des nunuches.

Moi : Ben là ! J'ai réussi à me souvenir de tous mes pas. C'est une bonne nouvelle, non ?

Bianca : Le spectacle est dans deux semaines, Léa. Je ne peux pas me contenter d'une prestation ordinaire.

Moi (en pognant un peu les nerfs) : Peut-être que ce sont tes attentes qui sont irréalistes, Bibi. Je n'ai jamais eu la prétention d'être Gisèle !

Marianne (avec sa voix de lécheuse de bottes) : Je pense que ce que Bianca essaie de te dire, Léa, c'est que c'est important que tu acquières un petit peu plus de confiance lorsque tu es sur la scène. Et on sait toutes que tu en es capable.

Bianca s'est approchée à son tour et a posé sa main sur mon épaule.

Bianca : Marianne a raison. Léa, chérie, je sais que tu vis des moments difficiles, mais c'est important que tu fasses le vide avant de défiler.

Moi : Euh, de quoi tu parles ?

Bianca (en baissant la voix) : De ce qui s'est passé au resto le jour de la Saint-Valentin.

Moi (sur la défensive) : Alex n'a rien à voir là-dedans.

Bianca : Pourtant, vous réagissez de la même manière depuis que ça s'est produit.

Moi : Pardon ?

Bianca : Alex n'est pas du monde depuis votre dispute. L'autre matin, il a littéralement sauté les plombs quand j'ai essayé de le convaincre de te parler.

Moi : Je te répète qu'il n'a rien à voir avec mon manque de talent.

Bianca (en m'attirant plus loin) : C'est ton beau cégépien, alors ?

Moi : Qui ?

Bianca : Robin. J'ai cru comprendre par Katherine que vous ne sortiez plus ensemble ?

Moi : Je t'assure que notre « rupture » ne m'a pas traumatisée, Bianca.

Bianca (en adoptant son ton maternel) : Il va quand même falloir que tu te ressaisisses et que tu t'investisses un peu plus dans le projet, ma belle. Après tout, ça ne sert à rien d'enchaîner des pas si tu n'y mets pas ton âme. C'est comme si un comédien venait réciter son texte devant la caméra sans aucune émotion.

Moi : J'ai compris le message. Je vais continuer à répéter.

Bianca : Je pense plutôt que tu as besoin d'un coup de pouce professionnel.

Elle s'est détournée de moi.

Bianca : Marianne, peux-tu venir ici, ma chérie ?

Celle-ci s'est approchée de nous en se déhanchant comme si elle participait au défilé de Chanel.

Marianne : Oui ?
Bianca : Mardi, j'aimerais que tu passes une heure avec Léa pour qu'elle gagne de l'assurance.
Marianne : Aucun problème, tu peux compter sur moi.
Moi : Euh, mardi, c'est congé.
Marianne (en me souriant) : Il n'y a pas de répit pour les artistes.
Bianca : Sans compter que la direction nous prête le gymnase toute la journée pour enchaîner nos chorégraphies et que je compte profiter de chacune des minutes qui nous sont accordées.

J'ai secoué la tête d'un air découragé. Ma vie était en train de se transformer en film d'horreur.

Marianne : Je te rejoindrai ici à dix heures. Ça te va ?
Moi : Est-ce que j'ai le choix ?

Bianca (en souriant) : Non.

J'ai donc acquiescé avant de me traîner les pieds jusque chez moi. Quand je suis entrée, j'ai aperçu Félix qui regardait un film dans le salon.

Félix (sans bouger) : Les parents sont sortis, mais il y a du pâté chinois dans le four.

J'ai grommelé une réponse et je suis allée me servir une portion.

Félix (en entrant dans la cuisine) : Pourquoi tu fais une face d'enterrement ?

Je lui ai lancé un regard rempli de sous-entendus.

Moi : Qu'est-ce que tu en penses ?
Félix (en s'assoyant sur un tabouret en face du mien) : Tu me hais tant que ça, hein ?
Moi : Si ça peut te consoler, tu n'es pas le seul sur ma liste.

Il y a eu un moment de silence, puis mon frère a toussoté.

Félix : Tu sais, j'ai repensé à tout ce que tu m'as dit l'autre jour, et j'avoue que ça m'a fait réfléchir.
Moi (en prenant une bouchée) : Hum.

Félix : Je savais que Marianne n'avait pas toujours été *nice* avec toi, mais je ne pensais pas qu'elle t'avait fait souffrir à ce point-là. Dans ma tête, c'était Maude, la méchante.

Il a pris une profonde inspiration avant de poursuivre.

Félix : Ce que j'essaie de te dire, c'est que je regrette de t'avoir fait de la peine, et que si j'avais su l'impact que ça aurait sur nous, je n'aurais jamais commencé à fréquenter Marianne.

Je me suis concentrée sur les grains de maïs dans mon assiette. Je ne savais pas quoi lui répondre.

Félix : Malgré ce que tu penses, tu es importante pour moi, la sœur. Et s'il faut que je casse avec Marianne pour te le prouver, ben, je vais le faire.

J'ai levé les yeux vers lui. Il avait l'air sincère.

Moi : Tu sais bien que je ne peux pas te demander ça.
Félix : Pourquoi ?
Moi : Parce que contrairement à ta blonde, je ne suis pas une *bitch* finie.

Il a souri.

Félix : Alors qu'est-ce que je dois faire pour que ça s'arrange entre nous ?

J'ai haussé les épaules.

Félix : Je sais que tu penses que c'est *fake*, mais Marianne regrette sincèrement de t'avoir fait du mal. Tu l'as confrontée à ses actes et elle a vraiment honte de ce qu'elle a fait. Elle est même en chicane avec Maude à cause de ça.

Moi : Je sais qu'elle fait des efforts, Félix, mais ça n'efface pas le passé.

Félix : Je comprends. Et je te promets que je ne t'imposerai pas sa présence tant que tu ne seras pas prête à la revoir.

Moi : Ça arrivera plus vite que tu penses.

Félix : Comment ça ?

Moi : Parce que Bianca m'a imposé une *date* avec elle mardi matin.

Félix : Pardon ?

Moi : Ta blonde doit m'aider à devenir une mannequin moins pathétique.

Félix : Si ça peut t'encourager, elle m'a dit qu'elle te trouvait super bonne.

Moi : Pour un hippopotame sans coordination, tu veux dire ?

Il a souri.

Félix : Et nous deux, on fait quoi ?

Moi : On laisse retomber la poussière.

Il a hoché la tête en se relevant.

Félix : Une dernière chose : ne te fais plus de soucis à propos de Marianne, OK ? Je te jure qu'elle n'est plus ton ennemie. Je dirais même qu'elle est devenue une alliée contre Maude et ses irréductibles nunuches.

Moi : Merci. C'est bon à savoir.

Il a esquissé un petit sourire avant de regagner le salon et j'ai terminé mon plat en réfléchissant à sa dernière phrase. Est-ce que Félix disait vrai ? Et si c'était le cas, est-ce que je serais capable de saisir l'occasion et de profiter de sa relation avec Marianne pour en finir avec les nunuches, et ainsi tirer un trait sur des années de guerres et de rancunes ?

J'ai vraiment hâte que tu arrives pour qu'on puisse discuter de tout ça de vive voix.

En attendant, sache que je t'aime et que je suis toujours là pour toi.

Léa xox

Chapitre 8 :
Léopard potelé et poule mutante

Dimanche 28 février

21 h 34

JP (en ligne): 😕

21 h 34

Marilou (en ligne): 😕

21 h 34

JP (en ligne): Salut.

21 h 35

Marilou (en ligne): Allo.

21 h 35

JP (en ligne): Comment vas-tu?

21 h 35

Marilou (en ligne):

21 h 35

JP (en ligne): Ouais. Pareil pour moi.

21 h 36

Marilou (en ligne): Semaine de merde.

21 h 36

JP (en ligne): As-tu passé une belle journée d'anniversaire, au moins?

21 h 36

Marilou (en ligne): Correct, dans les circonstances. Mon père et ma mère ont fait l'effort d'organiser un souper ensemble et avec Zak. Ça n'arrive pas souvent depuis leur séparation.

21 h 36

JP (en ligne): C'est cool de leur part. Et ils savent, pour nous deux?

21 h 37

Marilou (en ligne): Oui. Mon petit frère souffre autant que moi.

21 h 37

JP (en ligne): 🙁

21 h 37

Marilou (en ligne): C'est bizarre, parce que pendant notre *break*, j'arrivais à suivre le cours de ma vie, alors que là, je me sens comme paralysée.

21 h 37

JP (en ligne): Je sais exactement de quoi tu parles; je n'ai même pas été capable d'assister à mon entraînement de basket, hier.

21 h 38

Marilou (en ligne): C'est sûrement parce qu'on sait que cette fois-ci, c'est plus réel.

21 h 38

JP (en ligne): Ouais.

21 h 38

Marilou (en ligne): En tout cas, ça me fait du bien d'avoir de tes nouvelles.

21 h 38

JP (en ligne): Je n'ai pas pu résister quand je t'ai vue en ligne.

21 h 39

Marilou (en ligne): Je comprends. Je me suis tenue loin de mon ordi toute la semaine parce que je savais que je craquerais si j'apercevais un petit point vert à côté de ton nom.

21 h 39

JP (en ligne): Moi aussi.

21 h 39

Marilou (en ligne): Je déteste me sentir comme ça. Une chance que Léa m'a invitée chez elle. Ça va me permettre de changer d'air. Toi, as-tu des plans?

21 h 39

JP (en ligne): Rien à part me morfondre et me défouler en jouant au basket.

21 h 40

Marilou (en ligne): Le pire dans tout ça, c'est de sentir que je perds aussi mon meilleur ami et mon confident.

21 h 40

JP (en ligne): Je serai toujours là pour toi, Lou.

21 h 40

Marilou (en ligne): Je sais, mais ce n'est pas pareil. On avait l'habitude de se parler tous les jours pour se raconter nos journées. Cette semaine, j'ai même dû me retenir à deux mains pour ne pas te texter quand Charlotte m'a dit qu'elle et Thomas s'étaient embrassés !

21 h 41

JP (en ligne): Ce qu'elle ne t'a probablement pas dit, c'est qu'en rentrant ce soir-là, Sarah attendait Thomas devant chez lui...

21 h 41

Marilou (en ligne): NON ! Tu me niaises ? Qu'est-ce qu'elle lui voulait, encore ?

21 h 42

JP (en ligne): Lui demander pardon. Elle s'est littéralement jetée à ses pieds pour le supplier de lui donner une autre chance. Il a dû lui expliquer qu'il fréquentait quelqu'un d'autre et que c'était beaucoup plus sain pour eux de couper les ponts.

21 h 42

Marilou (en ligne): Wow. Je ne pensais jamais dire ça, mais je me sens empathique avec ce qu'elle vit.

21 h 43

JP (en ligne): Ouin. Moi aussi.

21 h 43

Marilou (en ligne): 🙁

21 h 43

JP (en ligne): Lou, tu ne penses pas que ce serait possible qu'on devienne «amis»?

21 h 44

Marilou (en ligne): Je pense qu'il est trop tôt pour penser à ça. Laissons passer un peu plus de temps, OK?

21 h 44

JP (en ligne): OK.

21 h 44

Marilou (en ligne): En attendant, prends soin de toi. Et n'oublie pas que je pense à toi.

21 h 45

JP (en ligne): Moi aussi. Amuse-toi bien à Montréal.

21 h 45

Marilou (en ligne): Je vais essayer. xx

À : Léa_jaime@mail.com
De : Jeanneditoui@mail.com
Date : Mardi 2 mars, 13 h 29
Objet : C'est plaaaate !

Salut, Léa !
Comment ça va ? Comment ça s'est passé avec Alex ? Et ta rencontre avec Marianne ? Raconte-moi tout !

De mon côté, je m'ennuie. C'est plate, le chalet. Mes parents sont très motivés à faire du ski et de la raquette, mais les pistes sont vraiment glacées et les conditions sont dégueu. Bref, on est coincés à l'intérieur sans télé. Une chance qu'il y a du WiFi et que ma mère m'a prêté son iPad. Ça me permet de perdre du temps sur les réseaux sociaux et de regarder plein de mauvais films sur Netflix.

N'empêche que j'ai déjà hâte à vendredi pour revenir en ville ! Mes parents m'ont offert de rester avec eux jusqu'à dimanche, mais il est hors de question que j'annule mon party de filles.

Comme je prends le premier autobus de la journée, je devrais être en ville en début d'après-midi. Fais-moi signe si ça vous tente que je vous rejoigne quelque part. J'ai hâte de revoir Marilou !

Sur ce, je retourne me tourner les pouces. Écris-moi vite pour me divertir !

Jeanne

À : Jeanneditoui@mail.com
De : Léa_jaime@mail.com
Date : Mercredi 3 mars, 11 h 29
Objet : Drapeau blanc

Salut !
Avoir su qu'il allait faire dégueu, je serais venue avec toi pour qu'on niaise ensemble. Sans compter que ça m'aurait épargné de passer la moitié de ma relâche à l'école ! Mais ne t'en fais pas, dès que tu rentres, on va reprendre un semblant de vie sociale. En attendant, laisse-moi te résumer mes derniers jours pour te réconforter dans ta vie de chalet !

Lundi, je me suis réveillée avec une barre dans l'estomac. Non seulement j'étais obligée d'étudier pendant la relâche, mais je devais en plus me concentrer sur la matière que je haïssais le plus avec le gars que je fuyais comme la peste.

J'ai tout de même pris soin de m'arranger pour avoir l'air de la « fille *cute* qui n'a pas fait exprès » en enfilant mon jeans à taille haute et mon chandail rayé qui me porte chance, et en remontant mes cheveux en queue de cheval. J'ai aussi appliqué un peu de mascara et de rouge à joues pour camoufler mon teint verdâtre.

Quand je suis entrée dans le café, j'ai tout de suite aperçu Alex, qui était assis à une grande table et qui pianotait sur son cellulaire.

Alex (en levant les yeux vers moi) : Salut ! Tu as donc bien la mine fraîche pour un lundi matin !
Moi (en haussant un sourcil) : Est-ce que je dois interpréter ça comme un compliment ?

Il s'est contenté de hausser les épaules. Ça commençait mal.

Alex (en fronçant les sourcils et en se concentrant sur l'écran de son téléphone) : Laisse-moi juste envoyer ce courriel à l'auberge qui doit nous recevoir à Paris pour leur expliquer qu'ils peuvent mettre leur argent là où je pense !
Moi : Pardon ?
Alex (en soupirant) : Ils me demandent de verser un dépôt provisionnel qui correspond pratiquement à la valeur de notre école !
Il a marmonné quelques phrases en composant son message. Il prenait apparemment ses rôles de président et de G.O. très au sérieux.

Alex (en rangeant enfin son cellulaire) : Pis ? As-tu pensé au sujet de ton travail final ?

Moi (en haussant les épaules) : Plus ou moins. Je veux surtout m'assurer que ce ne soit pas trop compliqué.

Alex : Ce n'est pas une affaire de simplicité, Léa. Tu dois parler de tes ambitions et faire une recherche sur un domaine qui t'intéresse.

Moi (en roulant les yeux) : Désolée de vous avoir froissé, monsieur Sainte-Nitouche.

Alex : Ce n'est pas avec une attitude comme ça qu'on va arriver à quelque chose.

Moi (en soupirant) : OK, d'abord. Je vais parler des journalistes qui couvrent de grands événements aux quatre coins de la planète.

Alex (surpris) : Les correspondants à l'étranger ?

Moi : Oui.

Alex : Je croyais que tu voulais devenir écrivaine.

Moi (d'un air détaché) : Il n'y a que les fous qui ne changent pas d'idée.

Alex : Mais l'écriture a toujours été ta plus grande passion !

Moi : J'ai aussi vraiment envie de découvrir le monde, et le fait d'être reporter me permettrait de joindre mes deux champs d'intérêt.

Il m'a observée d'un drôle d'air.

Moi : Pourquoi tu me regardes comme si j'étais une poule mutante ?

Mon téléphone a vibré, m'indiquant que j'avais reçu un texto.

Alex : C'est *Roberto* qui est matinal comme ça ?

J'ai roulé les yeux en tapotant sur les touches de mon cellulaire.

Alex (en fronçant les sourcils) : Peux-tu le texter plus tard, s'il te plaît ? Je n'ai pas juste ça à faire, moi.
Moi (en levant les yeux vers lui) : Relaxe ! C'est Marilou, et elle traverse une période vraiment difficile. C'est mon devoir de lui répondre quand elle a besoin de moi.
Alex (en se radoucissant) : Qu'est-ce qui lui arrive ?
Moi : Elle et son chum ont cassé.
Alex (surpris) : Sérieux ?
Moi : Ouin.
Alex : Qu'est-ce qui s'est passé ?
Moi (en haussant les épaules) : Ils ont réalisé qu'ils ne s'en allaient pas dans la même direction.
Alex : Ce n'est vraiment pas clair comme explication.
Moi : En gros, Marilou veut étudier à Québec alors que JP tient à rester dans notre village.
Alex : Ben là ! Les voitures, ça existe ! Ils n'étaient pas obligés de se laisser pour ça !
Moi : Ils n'ont pas les mêmes rêves ni les mêmes ambitions. Et il y avait aussi d'autres trucs qui ne fonctionnaient pas.

Alex : Comme quoi ?

Moi (en haussant les épaules) : Tu ne comprendrais pas.

Alex : Je suis si épais que ça ?

J'ai poussé un soupir avant de poursuivre.

Moi : Disons juste que tout s'est mis à déraper le jour où ils ont décidé de... franchir une nouvelle étape.

Alex a haussé un sourcil, perplexe.

Alex : Genre s'acheter un hamster ensemble ?

Moi (en souriant) : Ben non, niaiseux !

Alex : De quoi tu parles, alors ?

Moi (mal à l'aise) : De... leurs... rapprochements physiques.

Alex : Oh. Ça s'est mal passé ?

Moi (en haussant les épaules) : Je crois juste que ç'a changé leur perception des choses et que ç'a rendu leur relation plus tendue.

Alex (en faisant tournoyer son crayon) : C'est bizarre, ça.

Moi (sur la défensive) : Ben là ! Le sexe n'est pas quelque chose qui se prend à la légère, Alex !

Alex : Euh, je sais...

Moi (en poursuivant sur ma lancée) : Et ce n'est pas parce que ça ne veut rien dire pour toi que ça ne symbolise pas une étape cruciale pour d'autres.

Alex : Ne te choque pas, Léa. Je n'ai jamais dit que...

Moi (en l'interrompant pour terminer ma tirade) : La preuve, c'est que Marilou et JP s'aiment, mais que ç'a quand même chamboulé leur relation. Bref, tu as droit à ton interprétation superficielle des choses, mais ne viens pas juger ma meilleure amie parce qu'elle a vécu ça de façon plus intense.

Alex m'a observée en écarquillant les yeux, visiblement ébranlé par mon envolée lyrique.

C'est là que j'ai compris que ce n'était pas les malheurs de Marilou qui me faisaient disjoncter, mais plutôt la rumeur qui courait à propos de Bianca et d'Alex. Depuis que Maude m'avait mis cette histoire dans la tête, c'est comme si je n'arrivais plus à le voir de la même façon.

C'est sans doute un peu naïf de ma part, mais je pensais en effet qu'Alex partageait ma vision des choses, et que le jour où il coucherait avec une fille, ce serait par amour.

Alex (visiblement insulté) : Et qu'est-ce qui te fait dire que ma vision du sexe est « superficielle » ?
Moi (en croisant les bras) : Si ce n'était pas le cas, tu ne coucherais pas avec une fille que tu n'aimes pas, et tu ne la traiterais pas comme si elle n'avait aucune importance le jour de la Saint-Valentin.
Alex : De qui tu parles ?

Moi : De Bibi, c't'affaire !

Alex (surpris) : Parce que je couche avec Bibi, moi ?

Moi : C'est ce que toute l'école raconte !

Alex : Et depuis quand crois-tu les potins idiots qui courent sur le monde ?

Moi : Depuis que celui-là a l'air fondé.

Alex : Je pense que je suis bien placé pour te dire que ce n'est pas le cas.

Moi (surprise) : Tu n'as pas couché avec elle ?

Alex : Non. On s'est embrassés, mais ça, tu le savais déjà.

J'étais sidérée. Et bouche bée.

Alex : Est-ce que je peux au moins savoir qui t'a dit ça ?

Moi (d'une petite voix) : Maude.

Alex (en pouffant de rire) : Et tu l'as crue ? *Come on*, Léa ! Tu es plus intelligente que ça !

J'ai croisé les bras, légèrement insultée.

Moi : Je pensais qu'elle faisait honneur à notre pacte de vérité, tu sauras.

Alex : Tu as fait un pacte avec le diable ? Bra-vo.

Je lui ai envoyé un regard noir.

Alex : Et pourquoi tu ne m'en as pas parlé plus tôt si ça te faisait tellement capoter ?

Moi (du tac au tac) : Euh, je ne « capotais » pas.

Alex : *Come on*, Léa. Dis-moi la vérité !

Moi : Parce que ce n'est pas de mes affaires et que tu ne me dois rien.

Il m'a lancé un regard de travers avant de poursuivre.

Alex : C'est quoi, l'affaire ? Es-tu jalouse de Bianca ?

Moi : Pff ! Pantoute !

J'ai pris une profonde inspiration, puis je me suis tournée vers lui.

Moi : C'est juste que ça m'a fait un peu bizarre de l'apprendre de la bouche de quelqu'un d'autre.

Alex (en souriant) : Je te répète que l'histoire est fausse.

Moi (en baissant les yeux) : Je sais, mais sur le coup, ça m'a quand même fait de la peine de réaliser que j'étais passée du statut de meilleure amie à celui d'étrangère.

Alex (en hochant la tête) : Je comprends. Je me suis senti un peu pareil quand tu as décidé de passer le jour de l'An avec tes nouveaux amis et quand tu es partie précipitamment de mon party de fête.

On a échangé un regard triste.

Alex : Quand tu m'as demandé de l'espace et du temps pour laisser retomber la poussière l'automne dernier, je n'ai jamais imaginé que ça nous éloignerait à ce point-là.

J'ai réfléchi quelques instants.

Moi : On avait peut-être besoin d'une pause d'amitié.

Alex (en levant les yeux vers moi) : OK, mais est-ce qu'on peut mettre fin au *break*, là ? Parce que je m'ennuie vraiment de niaiser avec mon rongeur préféré, moi.

Moi (pince-sans-rire) : Il me semblait que mes niaiseries t'empêchaient d'exploiter ton plein potentiel de *nerd* ?

Alex : Tu sais bien que j'ai dit ça pour te faire pogner les nerfs.

Moi : Ç'a marché.

Il m'a regardée d'un air piteux.

Alex : Je suis désolé d'avoir été méchant avec toi. Et je m'excuse aussi pour mon attitude de con le jour de la Saint-Valentin. J'espère que Robin ne m'en veut pas trop.

Moi (en haussant les épaules) : Il faudrait que tu lui demandes, car je ne le fréquente plus.

Alex : Pas à cause de ce que j'ai dit, j'espère ?

Moi (en souriant) : Je n'ai pas besoin de toi pour être *turned off* par sa poésie.

Il a ri.

Alex : Bravo, Rongeur ! Tu viens d'utiliser une autre expression anglaise ! C'est à croire que ma présence a *vraiment* des effets bénéfiques sur tes talents linguistiques !
Moi (en baissant les yeux) : Parlant de ça, je t'avoue que je panique un peu. Je savais que j'étais poche en anglais, mais je ne pensais pas frôler l'échec.
Alex : Ne t'en fais pas pour ça. Je vais t'aider à clencher ton travail final.
Moi : En l'écrivant à ma place ?

Il a éclaté de rire.

Alex : Je vais voir ce que je peux faire.

J'ai souri.

Alex (en me tendant sa main) : Amis ?
Moi (en la serrant dans la mienne) : Amis.
Alex : Pour vrai ?
Moi : Promis.
Alex : Cool. Parce que je ne me vois pas organiser un voyage chez les Français sans mon rongeur pour m'aider.
Moi : Et moi, je ne me vois pas défiler sur une scène avec un maillot de tigresse potelée sans que tu te moques de moi.

Il a souri, puis on a passé près de deux heures à se faire un compte rendu en détail de nos vies.

Alex (en jetant un coup d'œil à son cellulaire et en grimaçant) : Il va vraiment falloir que je me sauve. J'ai un rendez-vous avec Bianca pour trouver d'autres commandites pour le voyage.

J'ai hoché la tête en consultant mes notes d'anglais.

Moi : C'est correct. Je vais essayer de m'en sortir toute seule.
Alex : Euh, pas question ! Une affaire pour que tu remettes un travail en allemand !
Moi : Eille !
Alex : Sans blague, fais ce que tu peux, et je l'améliorerai.
Moi : Merci.
Alex : De rien, Rongeur. On se parle plus tard, OK ?
Il m'a embrassée sur la joue et il a quitté le café en laissant un peu de son odeur derrière lui. J'ai souri en fermant les yeux. J'étais contente de retrouver celle-ci, mais j'étais d'autant plus heureuse de réaliser qu'elle ne me faisait plus le même effet qu'avant.

Ce que je n'avais pas pu avouer à Alex, c'est que la distance que j'avais imposée entre nous m'avait été nécessaire pour rapiécer mon cœur et regarder vers l'avant, et qu'aujourd'hui, j'étais doublement heureuse, car je retrouvais mon meilleur ami sans aucune arrière-pensée. La vérité, c'est que j'étais enfin guérie de ma peine d'amour, et que c'était ça qui me permettait de renouer avec lui.

Ce sentiment de légèreté m'a d'ailleurs insufflé l'énergie nécessaire pour bûcher sur mon travail d'anglais tout le reste de la journée. Quand je suis finalement rentrée chez moi, mes parents étaient en train de mettre la table pour le souper.

Moi : Félix n'est pas là ?
Ma mère (un peu mal à l'aise) : Non. Il est sorti avec... une amie.
Moi : C'est correct, maman. Tu peux mentionner le nom de Marianne sans craindre un tsunami.

Mes parents m'ont regardée d'un air surpris.
Moi (en haussant les épaules) : Je ne dis pas qu'elle est ma *best*, ni même que j'approuve leur relation, mais je ne veux pas que ça devienne un tabou. Et Félix a le droit d'aimer qui il veut.
Mon père : C'est très mature, ça, ma grande.

On a finalement décidé de manger devant un film plate choisi par mon père, et ma mère et moi nous sommes endormies avant le générique de la fin.

Hier matin, je me suis réveillée super tôt pour répéter mes déplacements, puis je me suis rendue à l'école pour rejoindre l'équipe du défilé qui était déjà réunie dans le gymnase.

Katherine : Salut, Léa !

Moi : Allo !

Katherine : Coudonc ! As-tu passé quelques jours dans le Sud sans me le dire ? Tu as l'air en pleine forme !

Moi : Non. J'ai juste réglé certaines affaires qui minaient ma santé physique et mentale.

Katherine (en désignant Marianne du menton) : Veux-tu parler d'elle et ton frère ?

Moi : Non. Ça, c'est encore une épine dans mon pied.

Katherine : C'est Alex, alors ?

J'ai acquiescé en souriant.

Katherine : Vous vous êtes réconciliés ?

Moi : Ouais.

Katherine (en sautant de joie) : Trop cool !

Bianca (en se pointant vers nous) : Qu'est-ce qui se passe, ici ?

Katherine : Alex et Léa ont enfin enterré la hache de guerre.

Bianca (en me souriant d'un air sincère) : Tant mieux, parce que je commençais à le trouver lourd !

J'ai souri, puis je suis allée me mettre en position tandis que Bianca partait la musique. J'ai ensuite enchaîné mes mouvements en me laissant guider par Marianne.

Marianne : Quand tu arrives au bout de la scène, n'aie pas peur d'en mettre. Genre de faire tournoyer ta jupette deux ou trois fois de suite en interagissant avec la foule.

Moi (en soupirant) : Hum. J'avais presque oublié que je devais exécuter ma chorégraphie déguisée en chat sauvage.

Bianca : Parlant de ça, tu pourras répéter avec ton maillot de bain jeudi lors de la générale.

Je n'ai pu m'empêcher de grimacer.

Marianne (en souriant) : Ne stresse pas pour ça. J'ai observé ton costume de près, et je te jure qu'avec les accessoires, les *runnings* et la jupe, c'est quand même *cute*.

Moi (pince-sans-rire) : Ça, c'est parce que tu ne m'as pas encore vue dedans.

Marianne (d'un ton très sérieux) : Bianca a raison. Tu n'as vraiment aucune confiance en toi.

Moi (du tac au tac) : Vos comparaisons végétales et autres insultes animales n'ont certainement pas aidé.

Elle s'est approchée de moi et m'a regardée droit dans les yeux.

Marianne : Il faut que tu mettes ça derrière toi, Léa.

Moi : Facile à dire venant d'un bourreau.

Marianne (en ignorant ma remarque) : Je pense que j'ai une idée. On va faire un petit exercice de renforcement positif.

J'ai pouffé de rire.

Marianne : Je te jure que ça aide, Léa.

Moi : Je ne suis pas une grande adepte de ces affaires-là.

Bianca (en intervenant) : Écoute les conseils de Marianne, ma chérie. Elle sait de quoi elle parle.

J'ai fini par acquiescer. Après tout, je n'avais plus rien à perdre. Pas même ma dignité.

Moi : OK, mais rien de trop ésotérique.

Marianne (en me guidant) : Promis. Maintenant, ferme les yeux et prends une grande inspiration.

J'ai obéi d'un air sceptique.

Marianne : À présent, je veux que tu te visualises sur la scène en train de défiler. Autour de toi, il y a des dizaines, voire des centaines de personnes qui assistent au spectacle.

Moi (en ouvrant un œil) : Est-ce que je peux fuir et me cacher dans les toilettes ?

Marianne : Chut ! Reste concentrée.

J'ai refermé les yeux.

Marianne : Les gens t'applaudissent et t'admirent, Léa. Tu es leur étoile !

J'ai retenu un rire.

Robin, sors de ce corps !

Marianne (en poursuivant sur sa lancée) : L'important, c'est de chasser toutes tes pensées négatives. Pour ce faire, tu vas lever le menton et tu vas crier : « Je suis la meilleure, et personne ne va rire de moi. »

Tuez-moi quelqu'un.
Marianne : Répète après moi : je suis la meilleure, et personne ne va rire de moi !
Moi (en marmonnant tout bas) : Je ne suis pas si pire, et avec un peu de chance, les gens ne se moqueront pas trop de moi.
Marianne : Plus fort et plus déterminée ! « JE SUIS LA MEILLEURE, ET PERSONNE NE RIRA DE MOI ! »
Moi (en répétant à voix basse) : Je suis la meilleure, et personne ne rira de moi.
Marianne : Hurle-le à pleins poumons, Léa !

J'ai obéi pour faire cesser le calvaire.

Moi : JE SUIS LA MEILLEURE, ET PERSONNE NE RIRA DE MOI !

J'ai ouvert les yeux, et elle s'est aussitôt mise à applaudir.

Marianne : Je te jure que ça fonctionne. Avec ma troupe de danse, on fait ça avant chaque représentation.
Moi (peu convaincue) : On verra ça jeudi.

Je m'apprêtais à sortir du gymnase lorsqu'elle m'a interceptée.

Marianne : Je pense aussi que ça aiderait si tu n'étais pas aussi hostile avec moi.
Moi (en me retournant vers elle) : Pardon ?
Marianne (en marchant vers moi) : Je crois qu'il y aurait une plus belle chimie sur scène si tu acceptais mes excuses et qu'on travaillait ensemble.
Moi : Écoute, Marianne...
Marianne (en m'interrompant) : Non. Toi, écoute-moi. Je reconnais que j'ai été *bitch* avec toi, Léa, mais je t'ai dit mille fois que je le regrettais.
Moi : Je sais.
Marianne : Alors pourquoi tu restes aussi froide avec moi ?
Moi : Parce qu'on n'efface pas le passé en claquant des doigts. Tu voudrais quoi, au juste ? Qu'on devienne des *BFF* ?

Marianne : Non. Des *BBS*.

Moi : C'est quoi, ça ?

Marianne : Des *best* belles-sœurs.

Au. Secours.

À mon grand bonheur, Alex est alors apparu dans le gymnase et a interrompu Marianne dans sa tirade.

Alex (en s'approchant de nous) : Alors, comment ça se passe sur le plateau de *Montreal's Next Top Model* ?

Marianne (en riant) : Bien. Ma *BBS* commence enfin à prendre de l'assurance.

Alex lui a envoyé un regard perplexe.

Marianne (en me prenant par le bras) : Même si elle me résiste, j'essaie de convaincre Léa de devenir ma *best* belle-sœur ! Parlant de ça, Félix m'attend, alors je dois me sauver. *Ciao !*

Elle nous a salués de la main avant de partir en trombe.

Alex (en retenant un rire) : Wow. Je ne sais même pas comment réagir à ça.

Moi (en secouant la tête, découragée) : Moi non plus.

Bianca (en apercevant Alex et en marchant vers nous) :
Bébé chou ! Qu'est-ce que tu fais ici ?
Alex (en me souriant) : Je voulais inviter Léa à regarder un film chez nous.
Moi (surprise) : Sérieux ? Cool !
Bianca : Oh. Est-ce que je peux venir avec vous ?
Moi (spontanément) : Ben oui !

La sincérité de ma réponse me prouvait une fois de plus que j'étais enfin immunisée contre Alex.

Notre étrange trio s'est donc rendu chez lui pour regarder le dernier *Fast and Furious* en anglais, et je n'ai évidemment rien compris au film.
Mais l'important dans tout ça, c'est que les choses commencent tranquillement à se replacer dans ma vie, et que j'ai super hâte que tu reviennes pour en discuter de vive voix !

Sur ce, je dois vraiment te laisser, car Marilou arrive dans quelques heures et que j'ai encore plein de choses à préparer.

Léa xox

À : Léa_jaime@mail.com
De : Marilou33@mail.com
Date : Dimanche 7 mars, 23 h 56
Objet : Surprise du retour

Salut !

Je voulais juste te dire que j'étais bien rentrée chez moi et te remercier une fois de plus pour les trois jours de magasinage, de discussions intenses, d'engloutissement de cochonneries et de rires. Ça m'a vraiment fait un bien fou. C'était aussi très cool de terminer ça en beauté chez Jeanne avec elle et Katherine. J'étais impressionnée par leur écoute et leur empathie. Bref, ça me rassure de te savoir entourée d'amies aussi géniales.

Le voyage a passé super vite puisque j'en ai profité pour faire mes devoirs, et quand je suis arrivée au terminus, ma mère et mon frère m'attendaient avec des fleurs.

Moi (en les voyant) : Ben là ! Vous êtes donc bien *cute* !
Ma mère : Je me doutais que tu aurais le cœur gros de quitter Léa, et après tout ce que tu as vécu dernièrement, j'avais envie de te dorloter.
Zak (tout excité) : Maman a même accepté de nous faire des crêpes pour souper !
Moi : Cool !

Ma mère : Et j'ai écrit à Laurie et Steph pour qu'elles se joignent à nous.

Moi (en regardant ma mère d'un air reconnaissant) : Merci, maman.

Ma mère (en s'installant derrière le volant) : Ça me fait plaisir, ma chouette ! Le seul problème, c'est qu'on n'a plus de sirop d'érable.

Moi : Je vais aller en acheter. Vous n'avez qu'à m'attendre dans la voiture.

Ma mère s'est rangée devant notre petite épicerie et j'ai couru à l'intérieur. Je me dirigeais vers la caisse lorsque quelqu'un a tourné le coin de la rangée des céréales et m'est rentré dedans.

Moi (en me frottant le bras) : Ayoye !

JP : Marilou ?

J'ai levé les yeux. Mon ex. Évidemment.

Moi (un peu sous le choc) : JP ? Sa-Salut ! Ça va ?

JP : Correct. Toi ?

Moi (en parlant beaucoup trop vite) : Moi ? Euh, ça va. Comme tu sais, je viens de rentrer de Montréal. J'ai passé quatre jours avec Léa, et c'était super thérapeutique. Et là, ma mère va faire des crêpes. Donc je suis venue chercher du sirop. Mais pas celui de poteau. Moi, j'aime le vrai. Et j'aime beaucoup les crêpes. Mais ça, tu le sais déjà.

J'ai alors réalisé que mes mains tremblaient.

Moi : Fait que, c'est ça. Il faut que je me sauve. Ma mère m'attend. Dehors. Avec mon frère. Pour préparer des crêpes.

J'avais l'impression que mon cœur allait me sortir de la poitrine. On est restés quelques secondes sans rien dire.

Moi : Bonne soirée, JP.
JP : *Ciao*, Lou.

J'ai payé en vitesse et j'ai regagné la voiture.

Ma mère (en me lançant un regard de travers) : Pourquoi t'es blême comme un drap ?
Moi : J'ai croisé JP à l'intérieur.
Ma mère (écarquillant les yeux) : Oh ! Comment tu te sens ?
Moi (en soupirant) : Comme une conne. Je n'arrêtais pas de parler de crêpes.
Ma mère : C'est le choc et la nervosité, Lou. C'est normal.

Elle a pris ma main dans la sienne.

Ma mère : Ça va aller, ma chouette.

J'ai vraiment eu envie de la croire.

Nous sommes rentrés à la maison, et Laurie et Steph sont arrivées quelques minutes plus tard. Ça m'a vraiment fait du bien de les voir. Pendant le souper, on s'est même mises à s'obstiner amicalement à propos de notre futur appart imaginaire.

Moi : Comme c'est moi l'aînée des trois, j'aurai droit à la plus grande chambre.

Laurie : Pff. Pas question. Je suis la plus grande, alors j'ai besoin de plus d'espace.

Steph : Tellement pas ! La chambre la plus cool doit revenir à celle qui est la moins sorteuse, puisque c'est elle qui en profitera le plus. Et vous savez toutes les deux que je suis l'ermite du groupe.

Ma mère (en riant) : N'oubliez pas de réserver un petit espace pour la visite.

Zak : Mets-en ! Car moi, je viendrai toutes les fins de semaine !

Steph (en levant son verre de jus) : À notre nouveau départ !

Laurie (en frappant son verre contre le sien) : Et à notre célibat !

Moi (en trinquant aussi) : Et à ma famille et mes amies qui me permettent de garder le moral même quand je fais une folle de moi dans l'allée des céréales !

Quand elles sont parties, je me sentais déjà un peu plus sereine. Je réalisais que même après le passage d'un raz-de-marée, la vie poursuivait son cours, et que je pouvais m'accrocher à tous mes futurs projets lors de mes moments de *blues*. Tout comme je pouvais aussi m'inspirer de toi pour remonter la pente. Après tout, tu es la preuve vivante qu'on ne meurt pas d'une peine d'amour, aussi brutale soit-elle.

Je vais me coucher.
Je t'aime !
Lou xox

Mercredi 10 mars

20 h 37

Katherine (en ligne): Salut, Léa!

20 h 37

Léa (en ligne): Allo!

20 h 37

Katherine (en ligne): Qu'est-ce que tu fais?

20 h 38

Léa (en ligne): Je répète mes déplacements devant le miroir pour la centième fois.

20 h 38

Katherine (en ligne): Es-tu nerveuse pour vendredi?

20 h 38

Léa (en ligne): Hystérique serait plus juste. Malgré les efforts de Marianne et de Bianca pour me convaincre que je ne suis pas nulle, j'ai vraiment peur d'avoir l'air folle, Kath.

20 h 39

Katherine (en ligne): Je suis certaine qu'avec l'adrénaline, tout va bien se passer. En plus, il nous reste la générale de demain pour nous assurer que tout est en ordre.

20 h 39

Léa (en ligne): Argh! Ça veut aussi dire que je dois enfiler mon maillot hideux devant tout le monde.

20 h 39

Katherine (en ligne): Ne pense pas à ça. Concentre-toi simplement sur tes déplacements!

20 h 39

Léa (en ligne) : Je vais essayer. Toi, ça va ?

20 h 40

Katherine (en ligne) : Oui. Très bien, même.

20 h 40

Léa (en ligne) : Ça veut dire quoi, ça ?

20 h 40

Katherine (en ligne) : Qu'après l'école, Olivier m'a raccompagnée au métro en me tenant par la main, et qu'on s'est embrassés ! Je sais que ça sonne enfantin et insignifiant, mais je flotte sur un nuage, Léa ! Je sens vraiment que cette fois-ci, c'est la bonne !

20 h 41

Léa (en ligne) : YÉ ! Je suis trop contente pour vous deux !

20 h 41

Katherine (en ligne): Et toi, avec Alex?

20 h 41

Léa (en ligne): Nous, c'est le contraire de vous; on file le parfait bonheur parce qu'on évite les rapprochements physiques!

20 h 41

Katherine (en ligne): Lol!

20 h 42

Léa (en ligne): Sans blague, je sens que c'est la première fois depuis des mois que je suis capable de niaiser et d'être complètement naturelle avec lui. C'est comme s'il avait fallu que je termine mon deuil pour être capable de retrouver notre complicité.

20 h 42

Katherine (en ligne): Es-tu en train de me dire que tu ne ressens vraiment plus rien pour lui?

20 h 42

Léa (en ligne): Je n'irais pas jusque-là. Alex me fait encore de l'effet et il gardera toujours une place dans mon cœur. Mais l'enfer des derniers mois m'a fait comprendre qu'on n'était pas faits pour être ensemble. Il est mon meilleur ami, et je ne veux plus jamais risquer de le perdre. Pour ce qui est de l'amour, j'ai confiance qu'un jour, je rencontrerai quelqu'un qui n'est pas handicapé émotionnellement et qui sera capable de me donner ce que je veux et de m'aimer autant que je l'aime. Ç'a juste été très long d'accepter que cette personne ne serait pas Alex. 😉

20 h 42

Katherine (en ligne): C'est plate, car vous allez tellement bien ensemble!

20 h 43

Léa (en ligne): C'est pour ça qu'on est des âmes sœurs platoniques et des meilleurs amis! Bon, il va déjà falloir que je te laisse. 😞 J'ai plein de devoirs et je veux répéter mes déplacements une dernière fois.

20 h 43

Katherine (en ligne): OK, mais ne stresse pas trop; tu es super bonne et on sera tous là pour t'encourager!

20 h 43

Léa (en ligne): Merci! À demain!

20 h 44

Katherine (en ligne): À demain! *Luv!*

À : Marilou33@mail.com
De : Léa_jaime@mail.com
Date : Samedi 13 mars, 00 h 38
Objet : J'ai survécu !

Salut, Lou !

Il est très tard, mais je tenais absolument à te parler du défilé avant de dormir.

Tout a commencé lors de la générale catastrophique d'hier après-midi.

Bianca avait demandé à ce qu'on enchaîne toutes les chorégraphies l'une après l'autre sans arrêter pour chronométrer la durée du défilé. J'étais donc en train d'exécuter une série de pas devant Marianne et les nunuches tigresses lorsque j'ai entendu un CRAC.

Lydia (en me dévisageant) : *EWWW !*
Marianne (en se plaçant derrière moi et en m'observant le derrière) : Oh, non ! Tu as les fesses à l'air !
Moi (en tirant sur ma jupette pour me couvrir) : QUOI ?
Marianne : Le maillot est déchiré sur ta fesse droite.

J'ai entendu Lydia et Sophie ricaner derrière moi. Bianca s'est alors avancée vers moi et a relevé ma jupette pour évaluer la situation.

Moi (en posant une main sur mon postérieur) : Euh, pouvez-vous arrêter de scruter ma cellulite, s'il vous plaît ?

Bianca (d'un ton hystérique) : Merde ! Mon père va me tuer ! La boutique qui nous a prêté ce maillot est l'un de ses gros clients !

Marianne (d'un air rassurant) : Ne panique pas, Bianca. Je vais le réparer ce soir.

Bianca (pleine d'espoir) : Comment ?

Marianne : Ma mère m'a appris à me servir d'une machine à coudre quand j'avais dix ans.

Bianca : Et tu crois vraiment que c'est récupérable ?

Marianne : Ben oui ! Regarde...

Elle a posé son doigt sur ma fesse droite et j'ai levé les yeux au ciel, découragée.

Marianne : Le tissu s'est simplement déchiré le long de la couture. C'est une affaire de rien.

Bianca a poussé un long soupir de soulagement, puis elle s'est tournée vers Katherine.

Bianca : Kath, chérie, on ne doit pas perdre une minute de plus ! Enchaîne tout de suite avec les robes de soirée.

Moi : Mais on n'a même pas fini de répéter ma chorégraphie.

Bianca (en frappant des mains) : Mes minutes sont comptées, Léa. *The show must go on.*

Je l'ai fixée avec des yeux de crapet-soleil.

Bianca (en me poussant doucement hors de la scène) : Allez, ouste ! Va vite retirer ton maillot !

Je me suis exécutée, puis je suis rentrée chez moi sans dire un mot. J'avais l'impression que même Bibi avait baissé les bras, et qu'après des semaines de dur labeur, elle en était venue à la conclusion que je n'étais bonne qu'à déchirer des maillots avec mes fesses de léopard potelé.

Ce soir-là, j'ai très mal dormi. Chaque fois que je fermais les yeux, je rêvais que j'avais oublié d'enfiler mon maillot et que je paradais nue devant toute l'école.

Après avoir passé la journée d'hier à angoisser, j'ai finalement rejoint tout le monde dans le gymnase après les cours. Une équipe avait déjà monté la scène et Bianca discutait avec le gars qui s'occupait de l'éclairage. Marianne est arrivée quelques instants plus tard en sautillant d'un pied à l'autre.

Marianne : Léa, j'ai une belle surprise pour toi !

Mon frère a enfin cassé avec toi ?

Moi : Tu m'as trouvé une remplaçante de dernière minute ?
Marianne (en brandissant mon maillot) : Mieux, encore !
J'ai réparé ton costume et la déchirure ne paraît plus du tout.
Moi (en feignant de l'enthousiasme) : Cool.
Marianne : Tu as le trac, hein ?
Moi : Ça paraît tant que ça ?
Marianne (en souriant) : C'est normal. Et plutôt bon signe.
Mais tu verras que le stress s'estompera une fois que tu auras les projecteurs sur toi.
Moi : Je ne sais pas pourquoi, mais j'en doute très fort.

Katherine est alors arrivée avec des sandwichs pour tout le monde. J'avais l'estomac à l'envers, mais je me suis forcée à manger comme les autres. J'ai ensuite été prise en charge par une coiffeuse, puis par une maquilleuse professionnelle, toutes deux amies du père de Bianca.

Quand j'ai finalement jeté un coup d'œil à mon cellulaire et que j'ai réalisé qu'il ne restait que trente minutes avant le début du spectacle, j'ai senti mon sandwich aux tomates me remonter dans la gorge.

Katherine s'est alors approchée de moi en écarquillant les yeux.

Katherine : *OH ! MY ! GOD !* Léa, tu es...
Moi (en l'interrompant) : Verte et ridicule ?
Katherine : Sexy et resplendissante.

Je l'ai regardée d'un air sceptique, puis elle m'a tirée par la main jusqu'au grand miroir qui avait été installé à l'arrière-scène.

Katherine : Regarde-toi, si tu ne me crois pas !

J'ai observé mon reflet, les yeux écarquillés et la bouche entrouverte. La vérité, c'est que j'étais méconnaissable. Je n'ai pas l'habitude de me maquiller autant ni de porter des vêtements aussi... révélateurs.

Marianne (en apparaissant derrière moi pour me prendre par les épaules) : Maintenant, je veux que tu refasses mon petit exercice.
Moi (en roulant les yeux) : Je me sens trop ridicule.
Marianne : C'est important, Léa.

J'ai pris une inspiration, puis je me suis tournée vers le miroir.

Moi (en fixant mon reflet) : Je sais que tu as eu tes doutes et que tu sens que tu ne *fites* pas ici, mais là, il est trop tard pour reculer. Vas-y, Léa ! Tu es capable !

Katherine et Marianne se sont mises à applaudir, et quelqu'un a toussoté derrière nous. Je me suis retournée et j'ai aperçu Alex, qui m'observait d'un drôle d'air.

Moi : Hey ! Qu'est-ce que tu fais ici ?
Alex : Euh... Je... Je venais porter quelque chose à Bibi.

Il a continué de me dévisager comme si j'étais une créature étrange.

Moi : Je suis si laide que ça ?
Alex (en toussotant) : Euh, au contraire, Rongeur. Tu es... euh, vraiment magnifique.

J'ai souri.

Moi : Même si tu mens, je vais prendre ton compliment. J'en ai besoin !

J'ai alors remarqué qu'il tenait un petit bouquet de marguerites colorées dans sa main droite.

Moi (en pointant les fleurs) : Elles sont belles. Bianca va être contente.

Alex : En fait, elles sont, euh, pour toi.

Moi (surprise) : Hein ? Pour vrai ?

Alex : Oui. C'est pour te féliciter d'avoir surmonté tes peurs. Je voulais te les offrir après le défilé, mais tu peux les prendre tout de suite. Elles te serviront de porte-bonheur.

Moi (en prenant les fleurs) : Merci, Alex. C'est gentil.

Alex : Merde, Léa.

Moi : Pardon ?

Alex : Merde.

Moi : Je ne comprends pas. Tu viens de réaliser que tu voulais les offrir à quelqu'un d'autre ou tu me trouves aussi radieuse qu'un caca ?

Alex a éclaté de rire.

Alex : C'est le mot de Cambronne. On dit ça avant un spectacle. Ça veut dire...

Moi (en l'interrompant) : «Bonne chance.» C'est vrai. Bravo, épaisse.

Alex : Recommençons. Merde, Rongeur.

Moi : Merci.

Bianca est aussitôt arrivée en trombe.

Bianca : Alex ! Je te cherchais partout ! As-tu trouvé mes écouteurs ?

Alex (en lui tendant un petit sac) : Oui. Tiens.

Bianca : Merci, tu es mon sauveur ! Léa, viens te mettre en file ! Le spectacle commence dans quinze minutes !

J'ai salué Alex de la main et j'ai rejoint les autres mannequins. On commençait à entendre les murmures des gens qui entraient dans le gymnase et qui s'installaient sur les chaises.

Environ dix minutes plus tard, le directeur de l'école a présenté le projet, puis il a laissé la parole à Bianca, qui a souhaité un bon spectacle à tout le monde.

Les lumières se sont alors éteintes et le défilé a commencé. Comme certaines personnes défilaient plus qu'une fois, elles devaient courir après leurs premières chorégraphies pour enfiler leurs autres costumes en quatrième vitesse. C'était littéralement le chaos en arrière-scène.

Katherine : Léa, prépare-toi ! Vous êtes les prochaines !

Mon pouls s'est accéléré et j'ai rejoint Lydia, Sophie et Marianne derrière le rideau.

Lydia (en me souriant pour la première fois en trois ans) :
Bonne chance, les filles.

Sophie : On est capables !

Marianne (en posant une main sur mon épaule et en me regardant droit dans les yeux) : N'oublie pas, Léa. Tu es bonne, et personne ne rira de toi.

Les premières notes de *Roar* se sont alors fait entendre, et les nunuches se sont mises à se déhancher d'un bout à l'autre de la scène. Je les ai suivies sans réfléchir, et j'ai enchaîné mes déplacements d'un pas assuré sans me préoccuper du reste. Lorsque je suis arrivée au bout de la scène, j'ai fait un clin d'œil aux spectateurs et je leur ai envoyé un baiser dans les airs, un geste improvisé qui a provoqué les cris et les applaudissements de la foule. Le temps a filé à la vitesse de l'éclair, et lorsque j'ai finalement rejoint Marianne pour enchaîner notre dernière série de pas, on s'est tapées dans la main comme deux grandes complices. Quelque part dans la salle, Félix souriait. Quand la musique s'est finalement arrêtée, nous avons eu droit à une courte ovation. J'ai ensuite couru derrière le rideau pour permettre aux derniers mannequins de s'installer et de clore le défilé.

Lorsqu'ils ont eu terminé, nous les avons tous rejoints sur la scène pour applaudir le comité et les chorégraphes, puis les lumières du gymnase se sont allumées et les spectateurs sont venus nous rejoindre.

Ma mère (en se précipitant vers moi, une larme à l'œil) : Ma puce ! Tu étais tellement bonne ! Je ne t'avais jamais vue avec autant d'assurance !
Mon père (en souriant aussi) : Tu es magnifique, Léa. Même si je préfère quand tu es plus vêtue.

Ma mère et moi avons éclaté de rire, puis du coin de l'œil, j'ai aperçu Félix et Marianne qui s'embrassaient. Je me suis avancée vers eux en souriant.

Félix (en se détachant de Marianne) : Bravo, la sœur ! Tu as fait ça comme une pro.
Moi : Merci, mais le mérite revient à ta blonde.

Marianne m'a lancé un regard surpris.

Moi : Je suis sérieuse, Marianne. Je n'aurais jamais réussi sans ton aide.

Elle a semblé émue par mon commentaire.

Marianne : Ça m'a vraiment fait plaisir de travailler avec toi, *BBS.*

J'ai souri.

Moi : En passant, si jamais tu veux passer à la maison un de ces quatre, je te promets de ne pas te jeter dehors.

Félix m'a envoyé un regard reconnaissant, puis Éloi s'est rué sur moi.

Éloi : Léa, tu étais incroyable ! La meilleure du *show* !
Moi (en rougissant) : Merci d'exagérer ! Ça fait du bien à mon ego.

J'ai remarqué une grande rousse derrière lui.

Éloi (en se tournant vers elle) : Je te présente Sandrine. C'est ma nouvelle blonde.
Moi (en lui serrant la main) : Enchantée de te rencontrer, Sandrine. J'ai beaucoup entendu...

Une voix stridente est alors venue m'interrompre : LÉA ! VIENS ICI, MA CHÉRIE !

Je me suis tournée et j'ai aperçu Ghislaine qui m'attendait, les bras tendus. Mégane souriait à ses côtés.

Moi (en m'approchant) : Salut ! Je ne savais pas que vous étiez là !

Ghislaine : Quand ta mère nous a parlé du défilé, je me suis dépêchée d'acheter des billets ! Il n'était pas question qu'on rate ça ! Après tout, tu es un peu comme notre deuxième fille.

Inspire. Expire.

Ghislaine : Réal tenait aussi à te féliciter, mais il a dû s'absenter à la fin du spectacle. Urgence brune !

J'ai grimacé, puis j'ai posé une main sur l'épaule de Mégane.

Moi : Je suis contente de te voir.
Mégane (avec des étoiles dans les yeux) : Tu es mon idole, Léa.
Moi : Je préfère ça à Marie-Amande.

Mégane m'a alors tirée par le bras pour me chuchoter quelque chose à l'oreille.

Mégane : Parlant de ça, ne le dis pas à personne, mais Marie-Amande a *crashé* le party de sixième année et on se voit en cachette depuis.
Moi (en fronçant les sourcils) : Pardon ? Mais Mégane, je...
Mégane : CHUT ! Mes parents sont là !

Elle a alors mis fin à la discussion en rejoignant les Câlinours, et Jeanne, Alex et Katherine en ont profité pour me féliciter à leur tour.

Katherine : Bravo, Léa !
Alex (en souriant) : Tu m'as vraiment impressionné, Rongeur.
Jeanne : Mets-en ! Je ne savais pas que Cara Delevingne sommeillait en toi.

J'ai ri.

Bianca (en s'immisçant dans notre groupe) : Moi, j'ai toujours su que tu allais voler la vedette !

On a continué à discuter pendant près d'une heure, puis je suis rentrée à la maison avec mes parents. Les gens du défilé m'avaient proposé de les accompagner manger une poutine, mais j'avais envie de célébrer ma petite victoire personnelle dans le confort de ma chambre. Après tout, c'est si rare que je m'autorise à être fière de moi.

Petit léopard potelé va loin !

Léa xox

▢ 13-03 00 h 56

Katherine, dors-tu?

▢ 13-03 00 h 57

Allo, Jeanne! Non, je gossais sur mon ordi. Qu'est-ce qui se passe?

▢ 13-03 00 h 57

Il faut absolument que je te raconte quelque chose.

▢ 13-03 00 h 57

Je t'écoute.

▢ 13-03 00 h 58

Après le défilé, j'ai surpris une conversation entre Alex et Éloi en me rendant aux toilettes.

▢ 13-03 00 h 58

???

▢ 13-03 00 h 58

Alex a dit à Éloi qu'il avait eu une épiphanie en voyant Léa ce soir, et qu'il avait réalisé qu'il était amoureux d'elle.

📱 13-03 00 h 59

TU ME NIAISES?

📱 13-03 00 h 59

Non! Mais il lui a aussi avoué qu'il ne savait pas quoi faire avec ça. Genre qu'il n'osait pas foncer, parce qu'il se sentait handicapé en amour, qu'il avait peur de tout gâcher et qu'il ne voulait pas lui faire de mal ni risquer leur amitié. Penses-tu qu'on devrait en parler à Léa?

📱 13-03 01 h 00

Surtout pas! Ils viennent à peine de se réconcilier, et Léa est vraiment passée à autre chose. C'est la première fois depuis des mois que je la sens heureuse. Elle m'a même avoué qu'elle se sentait complètement libérée d'Alex depuis qu'elle a admis qu'ils n'étaient pas faits pour être ensemble.

📱 13-03 01 h 01

Je sais. Elle m'a dit la même chose. Tu as raison. Il vaut mieux garder cette information pour nous. Alex lui en parlera lui-même le jour où il s'achètera du courage au dépanneur.

📱 13-03 01 h 02

Ce qui n'est pas près d'arriver. Après tout, c'est son niaisage qui a tout gâché à l'automne.

📱 13-03 01 h 02

Ouais. Je pense vraiment que Léa a assez souffert. Elle mérite un gars plus mature.

📱 13-03 01 h 02

Je suis complètement d'accord. C'est pour ça qu'il faut se taire.

📱 13-03 01 h 03

Motus et bouche cousue.

📱 13-03 01 h 03

Deal. Bonne nuit ! xx

À suivre...

Suis Catherine sur Instagram

catherinegirardaudet

éditions
les
malins

lesmalins.ca

Suis-nous
sur Instagram

les_editions_les_malins

Tu peux suivre
Catherine Girard-Audet
sur **facebook.com/CatherineGirardAudet**

DÉCOUVRE SES NOUVEAUTÉS
ET COMMUNIQUE AVEC TON
AUTEURE PRÉFÉRÉE !